CELUI PAR QUI
LE SCANDALE ARRIVE

Derniers romans parus dans la collection Intimité :

LE REBELLE DE VIRGINIE
LES MAILLES DU PASSE
    par Elizabeth RENIER
LE PORTRAIT DEROBE
    par Rona RANDALL
AU PERIL DE MA VIE
    par Anne WAKEFIELD MADDEN
STATIONNEMENT INTERDIT
    par Loïs PAXTON
DES FANTOMES PLEIN LA TETE
    par Barbara MICHAELS
LE ROC DU DIABLE
    par Ivy VALDES
MADALENA
    par Sheila WALSH
CHEVEUX DE LUNE
    par Hilda ROTHWELL
MORWENNA
    par Anne GORING
LE CLOITRE DES MALEFICES
    par Sheila HOLLAND
MIRAGE DANS LA BRUME
    par Ruth WILLOCK
LE FIER ET BEAU CAPITAINE
    par Frances LYNCH

A paraître prochainement :

    QUAND S'ETEINT LA LUMIERE
       par Elizabeth RENIER

Nous vous recommandons notre **formule d'abonnement** :
Pour 12 volumes par an, port compris : **50 F**
aux EDITIONS MONDIALES, 75440 PARIS CEDEX 09
ou par versement à notre C.C.P. 8782-57 à Paris.

COLLECTION MENSUELLE
**France : 4,00 F (+ 2,75 F de port)
Canada : 1,25 dollar canadien**

Lily OVEN

CELUI PAR QUI
LE SCANDALE ARRIVE

(The long shadow)

LES EDITIONS MONDIALES
2, rue des Italiens — Paris-9ᵉ

ISBN 2.7074.2372.6

CHAPITRE PREMIER

Tous les vendredis soir, les membres de la famille Woodley avaient l'habitude de se réunir chez la mère, Lydia Woodley, pour un bon dîner. A cette occasion, ils s'entretenaient de leurs affaires personnelles.

Lydia allait avoir soixante ans. C'était une femme au physique lourd, qui avait perdu depuis longtemps toute velléité de soigner son visage et son élégance. Peu bavarde, elle écoutait surtout le bavardage de ses enfants.

On en était au café et ils allumaient leurs premières cigarettes.

Il y avait là Rose, son aînée — une belle femme qui approchait de la quarantaine, mère de deux enfants, et son mari John Morris. De l'autre côté, Sylvia, son autre fille, mère de deux jumeaux, taquinait son mari, Peter Clark. Sylvia avait trente-quatre ans. Elle était vive et de caractère enjoué. Terry « le petit dernier » qui avait vingt-cinq ans, occupait le bout de la table. Célibataire, il habitait avec sa mère.

Mais il y avait un absent : l'autre fils de Lydia,
Mathieu.

Lydia posa sur la table une lettre qu'elle avait
reçue au bureau le matin même et qu'elle avait
mise dans son sac à main. Elle l'ouvrit et toussota.
Le silence se fit.

— La date de la libération de Mathieu est fixée,
dit-elle, au douze du mois prochain.

Ils se passèrent la lettre de main en main. Personne ne fit d'observations ni ne montra aucune surprise. C'était simplement la confirmation de quelque chose qu'ils attendaient depuis quelque temps.
Quand la lettre lui revint, Lydia prit le briquet de
table, mit le feu à un angle de la feuille et la laissa
se consumer dans un cendrier. Ils regardaient tous
le papier brûler et leur mère écraser les cendres
avec sa cuillère à café.

Elle avait pris l'habitude de faire disparaître de
cette façon toute lettre venant de son fils Mathieu
ou le concernant, parce que toutes ces correspondances portaient l'en-tête d'une prison de Sa
Majesté : Mathieu venait de passer dix en prison,
expiant un crime qu'il avait commis alors qu'il
était âgé de vingt ans.

— Il s'agit de jeudi en quinze, n'est-ce pas ?
remarqua Peter. Nous irons à Londres le mercredi,
Sylvia et moi. Nous passerons la nuit là-bas pour
pouvoir prendre Mathieu dès sa sortie, le jeudi
matin, et nous le ramènerons ici. D'accord ?

Il parlait comme s'il s'agissait d'une affaire arran-
gée de longue date, et c'était exactement cela.

— D'accord, répondit simplement Lydia.

Elle pensait aux qualités que les siens avaient

manifestées dans cette terrible épreuve. Ils avaient tous été bons, fidèles, loyaux. Et comme elle avait eu raison de leur imposer une terrible discipline ! Elle ne s'en attribuait personnellement aucun mérite ; elle remerciait surtout la Providence qui l'avait guidée et inspirée, lui avait donné une force surhumaine.

L'arrestation de Mathieu, ses aveux, son jugement, une condamnation à perpétuité qui avait été miséricordieusement réduite à dix ans de prison, tout cela avait été terrible pour la famille, naturellement. Mais le calvaire des Woodley ne s'était pas borné à cette période affreuse. Les innocents — la mère, ses filles, son fils, ses gendres — n'avaient cessé d'être victimes de persécutions odieuses. Des lettres anonymes, des coups de téléphone venimeux, l'abandon progressif de tous les gens qu'ils fréquentaient jusque-là.

— Il faut savoir fuir à temps, pour se préparer à d'autres combats, avait fini par dire Lydia, qui affectionnait parfois les tournures bibliques.

Elle avait insisté et fini par les persuader tous. Ils avaient quitté la villa de banlieue qu'ils habitaient depuis toujours et étaient venus chercher l'oubli dans ce gros bourg perdu dans les Midlands. Ils y étaient arrivés avec pour seuls atouts un bienheureux anonymat, le petit capital qu'ils avaient réuni, leur intelligence, et leur ardeur au travail et surtout leur merveilleuse entente. Ils étaient unis par ce secret qu'aucun d'eux ne serait jamais tenté de laisser échapper, tant l'expérience leur avait appris combien sa divulgation pouvait être dangereuse. Ils avaient tous le cœur gros à l'idée de devoir abandonner la vie qu'ils s'étaient construite, chacun de son côté, pour repartir de zéro, dans un pays inconnu où ils arrivaient les mains pratiquement vides, mais ils étaient trop impatients de saisir cette chance que la décision maternelle leur donnait pour balancer longtemps.

— J'avoue que c'est un soulagement de savoir que tout est fini, soupira Rose Morris. Dieu merci !

Lydia regarda sa fille. Elle ne considérait pas, elle, que tout fût fini. Pas encore ! Ils avaient beaucoup de travail à faire pour ramener Mathieu au bercail, pour l'intégrer dans leur petit monde, pour l'aider à assumer cette identité nouvelle qu'ils avaient imaginée pour lui : leur frère qui arrivait d'Australie. Car la famille Woodley s'était fait sa place à Chyndford. Elle y était très connue et, dans une certaine mesure, respectée. Il leur était difficile de faire apparaître brusquement un fils supplémentaire, âgé de trente ans, sans avoir en quelque sorte préparé son arrivée en affectant de parler librement de lui.

— Je n'irais pas jusqu'à dire cela, Rose, remarqua Lydia. Cela ne va pas être si facile que tu sembles le croire. Dix années, ça compte, pour n'importe qui, n'importe où. Et dix années en prison...

Elle soupira. John Morris, intervint de sa voix lente, posée :

— C'est bon, Lydia, ne vous inquiétez pas. Nous comprenons ce que vous voulez dire. Nous ne le quitterons pas. Il aura toujours l'un de nous avec lui. Il est inutile de nous faire un dessin !

Il sourit et posa sa main sur la main de Lydia,

une main émouvante, usée par les durs travaux matériels. Il sentit la main se rétracter, puis s'apaiser sous sa pression chaleureuse. Lydia lui rendit son sourire.

John Morris était le seul homme dont Lydia eût toléré une réplique comme celle-là. Les premiers temps, il avait bel et bien fallu « leur faire un dessin », ne serait-ce que pour leur faire admettre, à tous, que leur frère était toujours leur frère et qu'ils ne pouvaient pas le rejeter purement et simplement. Mais c'était John qui l'avait le plus efficacement soutenue. Sa personnalité à la fois discrète et forte, son assurance tranquille, la passion froide mais communicative avec laquelle il s'était lancé dans cette entreprise de sauvetage familial, avaient contribué puissamment au succès de la lutte difficile qu'ils avaient engagée. Il avait beaucoup aidé ses beaux-frères et belles-sœurs à oublier leur rancune première.

Aussi, lorsqu'il lui arrivait, parfois, de ne pas être d'accord avec Lydia, celle-ci en tenait compte. Et, cette fois, comme toujours, elle comprit qu'il avait raison. Ce n'était pas le moment pour la famille de se laisser aller à l'émotion, toujours dangereuse, et à des rappels nostalgiques. Elle changea brusquement de conversation.

— Tu disais quelque chose, tout à l'heure, au sujet du travail au moulin Rolands ? demandat-elle à Terry.

Il leva la tête. Il avait des yeux d'un bleu très clair. Il avait eu quatorze ans au moment « des événements ». Lydia avait été obligée, alors, de le retirer de son école, et il n'avait plus jamais repris ses études. Cela ne l'avait pas empêché de devenir un beau jeune homme dont elle était fière. Il était taillé comme un athlète, avec des traits réguliers, très fins. Dans l'organisation que la famille Woodley avait mise sur pied, c'était lui qui était chargé de la démolition des vieux bâtiments et du nettoyage des terrains que le reste de l'équipe aménagerait ensuite.

— Je disais que je ne voyais pas comment je pourrais avoir terminé mercredi prochain, répondit-il. Il me faudrait un jour de plus, ou peut-être même deux. Nous avons calculé trop juste au moment du devis. Je te l'ai dit bien des fois, maman. Un vieux moulin comme celui-là, tu ne sais jamais quel cubage de détritus cela te donnera, jusqu'au dernier moment. Même avec deux pelles mécaniques, je ne sais pas comment nous nous débrouillerons. Et tu sais que le vieux Walter n'est pas très fort pour ce genre de travail. Je crois que la pelle lui fait un peu peur. Je ne voudrais pas lui pousser l'épée dans les reins.

Rien n'irritait plus Lydia que de constater qu'elle s'était trompée. C'était elle qui avait réduit au maximum le temps demandé pour ce travail. Elle pinça les lèvres et prit un air têtu.

— Cela ne fera pas de mal au vieux Walter si tu le bouscules un peu, répliqua-t-elle. Il peut supporter ça ! Il faut que tout soit terminé mercredi prochain car, jeudi, on vous attend tous les deux sur le terrain de Williams. Ils comptent sur toi, là-bas. Nous n'avons jamais laissé tomber personne, et nous n'allons pas commencer. Ils ont un programme à

respecter, eux aussi. Fais des heures supplémentaires. Travaille pendant le week-end.

John intervint à nouveau :

— Attention, Lydia ! Terry sait ce dont il parle.
Walter n'aime pas manœuvrer la pelle mécanique.
Et j'avoue que, sachant cela, je n'aime pas non plus
la lui voir manœuvrer. Je frémis à l'idée de l'état
dans lequel il va me la rendre. Quand on maltraite
ces engrenages... De toute façon, il faudra que je
démonte complètement la boîte probablement.

John était le meilleur spécialiste des moteurs et
des machines. Il savait tirer le maximum de n'importe
quelle mécanique, grande ou petite, neuve ou usagée,
tout comme il savait tirer le maximum des êtres
humains.

— Je m'y mettrai un peu moi-même pendant le
week-end, reprit-il. Sur la pelle de Terry. Et je
prendrai Walter avec moi. Il ne rechignera pas trop
à travailler le samedi, et même le dimanche, si on en
tient compte pour sa paie. Comme cela au moins,
je pourrai surveiller ce qu'il fait. Et puis, ça soula-
gera un peu Terry. Il aura son week-end. Il a un
rendez-vous, je crois ; n'est-ce pas, Terry ? Tu emmè-
nes bien Jill Pagett à la soirée du club ?

Il se retourna vers Lydia et la regarda bien en
face. Gênée, elle détourna des yeux mécontents.

Elle était parfaitement au courant du rendez-
vous de Terry. Le jeune homme faisait partie du
Rally-Club de Chyndford — il adorait les voitures
de sport. Lydia ne voyait aucun mal à ce qu'il s'amuse
un peu, ni même à ce qu'il collectionne les petites
amies. Elle aurait simplement préféré qu'il ne sorte
pas avec Jill Pagett. Depuis que cette jeune fille avait

fait son apparition, il n'y avait pas très longtemps de cela, toutes les petites amies avaient disparu. Jill les avait toutes éliminées. Terry ne s'en rendait peut-être pas compte lui-même, mais Lydia avait parfaitement compris que Jill avait jeté son dévolu sur le jeune homme. Sérieusement. Elle voulait l'épouser.

Terry, radieux, remerciait John Morris.

— Vrai, John, tu ferais ça ? Tu es chic. Si vous travaillez tous les deux pendant le week-end, nous n'aurons aucun mal à avoir fini mercredi.

— Compte sur moi, dit John.

Rose soupira et fit une grimace ironique.

— Voyez-vous cela ! protesta-t-elle. Cela veut dire que le gazon ne sera pas encore tondu cette semaine. Il y a quinze jours qu'il aurait dû être coupé !

— Mais qu'attends-tu pour le couper toi-même, ma chérie ? répliqua John avec gentillesse. La tondeuse est excellente pour conserver la ligne. Toi qui te plains toujours de ton poids...

Ils se levèrent et quittèrent la table, bavardant riant, discutant. Ils faisaient quelquefois allusion à Mathieu, mais sans s'attarder sur ce sujet.

Les Morris et les Clark retournèrent chez eux. Lydia souhaita une bonne nuit à Terry et lui recommanda de ne pas oublier de fermer la porte à clé, puis elle alla se coucher. Depuis quelque temps, elle s'essoufflait dans l'escalier.

Les enfants semblaient envisager le retour de Mathieu avec optimisme. Elle essayait de se persuader qu'ils avaient raison. Mais seule dans sa chambre, elle ne pouvait s'empêcher de se rappeler un incident qui l'avait terriblement marquée. C'était il y a bien longtemps déjà, à cette époque où l'événement affreux venait de bouleverser tout son univers.

Dans la grand-rue où elle faisait ses courses, depuis toujours, un homme lui avait soudain bloqué le passage. Il l'avait regardée droit dans les yeux et lui avait dit, sans élever la voix :

— Œil pour œil, dent pour dent. C'est bien ce que l'on dit, n'est-ce pas ? Et vie pour vie. Ne l'oublie jamais. Et faites en sorte qu'il ne l'oublie pas lui non plus !

Puis, l'homme s'était éclipsé. Elle ne le connaissait pas. Peut-être était-ce un de ceux qui lui envoyaient des lettres anonymes ou lui passaient ces coups de fil menaçants. Peut-être était-ce un ami ou un parent du veilleur de nuit que Mathieu avait frappé et tué, quand il avait été surpris au cours du cambriolage d'un entrepôt ? Lydia n'avait encore jamais vu l'homme, en tout cas. Et elle ne l'avait plus revu.

Elle n'avait jamais parlé de cette rencontre à personne, pas même à John Morris. Mais c'était cet incident qui avait déterminé la fuite de toute la famille.

Il lui en restait un souvenir odieux et des cauchemars, quelquefois. Le cauchemar revint, cette nuit-là.

*
**

Le portail était très large, pour laisser le passage à de gros engins. Il portait une inscription, en lettres blanches : « WOODLEY — ENTREPRISE DE TRAVAUX PUBLICS ET DE BATIMENT —

SPECIALISTE DE DEMOLITIONS ET D'AME-
NAGEMENT DE TERRAINS ».

C'était assez vague, mais tout le monde savait
maintenant dans le pays que l'entreprise était prête
à louer des hommes et des machines pour toute
sorte de gros travaux.

Derrière le portail, une allée de ciment traversait la cour, conduisant, au petit groupe de bâtiments, où, sous la surveillance attentive de John
Morris, les machines compliquées et coûteuses que
l'entreprise possédait maintenant étaient réparées,
choyées, entretenues, mises au point. Dans un han-
gar voisin, deux très importantes moissonneuses
étaient rangées, attendant le bon vouloir des agri-
culteurs qui les louaient ; elles chômaient rarement,
à l'époque des récoltes.

Sur la gauche, deux vieilles masures de pierre
avaient été réparées, nettoyées et transformées en
bureaux. Dans un coin du terrain, le plus loin possible, on avait remisé deux vieilles caravanes déla-
brées.

A l'exception de ces deux caravanes, qui gâ-
taient un peu le tableau, le chantier donnait une
impression d'ordre et d'activité. Il avait pris la place
des installations croulantes d'un chiffonnier ferrailleur
qui avait sombré dans l'ivrognerie.

Quand les Woodley étaient arrivés à Chyndford,
il y avait plus de neuf ans de cela, ils avaient acheté
le chantier aux héritiers du chiffonnier, et s'y étaient
installés, dans les deux caravanes et les deux masures répugnantes. Les gens de Chyndford, à l'époque,
les prenaient pour des bohémiens. Certains se de-

mandaient encore s'ils n'étaient pas vraiment des saltimbanques.

Lydia était installée à sa table de travail, dans son bureau, une pièce austère, meublée de classeurs, d'un radiateur électrique et d'un vieux coffre-fort qui n'abritait que des fournitures de bureau, des biscuits secs, du thé, une bouilloire électrique et quelques tasses.

Lydia travaillait sans relâche depuis sept heures du matin. A huit heures vingt, la porte s'ouvrit. Jill Pagett, la secrétaire, entra. C'était une jolie fille mince, qui avait de longs cheveux blonds. Elle était habillée, tout comme Lydia, d'un pantalon et d'un pull de laine, mais ses vêtements couvraient un corps sensiblement plus svelte, plus jeune et plus séduisant que celui de Lydia.

— Bonjour, madame Woodley, dit gaiement Jill, accrochant son blouson à une patère.

— Bonjour, Jill. Vous êtes en retard, répondit Lydia, qui regretta aussitôt ce qu'elle venait de dire.

Normalement, Jill n'était pas censée commencer sa journée avant neuf heures. Elle ne manquerait pas, certainement, de le rappeler à Lydia.

Elle le fit, mais de cette façon courtoise et délicate dont Lydia n'aurait jamais été capable.

— Vraiment ? dit-elle. Je ne croyais pas. Ne serait-ce pas plutôt vous qui étiez un peu en avance ?

Accompagnant ces propos d'un beau sourire, Jill retira la housse de sa machine à écrire.

Lydia ne répondit pas. Elle préférait éviter toute discussion avec cette jeune fille qui, entrée dans l'entreprise comme sténo-dactylo, était devenue en quelques semaines une secrétaire qualifiée et efficace. Il lui arrivait rarement de se dire qu'elle aurait bien du mal maintenant à se passer de Jill. Plus fréquemment, elle regrettait de n'avoir pas trouvé ce qu'elle cherchait : une simple dactylo capable de taper vite et d'expédier le courrier. Elle le regrettait d'autant plus que le progrès de Jill ne s'était pas limité au domaine professionnel : la jeune fille s'était aussi rendue maîtresse unique des pensées de Terry.

Enfin, on verrait bien, pensa Lydia tristement en fouillant dans des papiers qui venaient d'arriver par le courrier du matin et en marge desquels elle avait déjà griffonné des annotations plus ou moin sybillines. Elle s'en voulait de se reposer sur une jeune fille pour laquelle elle n'éprouvait qu'hostilité, mais elle ne pouvait nier que Jill savait déchiffrer ses griffonnages et s'en inspirer pour rédiger des lettres écrites dans une langue châtiée, ce qui épargnait beaucoup de temps et de fatigue à Lydia.

— Voulez-vous me faire ces lettres, Jill ? demanda-t-elle. J'aimerais ensuite que vous tapiez ce devis que Peter Clark a étudié pour le projet Moorfield. Je suis en train de le revoir. Ce n'est qu'un premier brouillon ; il se pourrait que nous ayons encore à le reprendre une ou deux fois avant de le mettre au net. Alors, contentez-vous de faire cela rapidement. Le nombre d'exemplaires habituels...

Elle s'interrompit puis, la tête levée vers Jill, elle ajouta :

— Faites tout de même un exemplaire de plus. Pour mon autre fils. Mathieu.

— Entendu. Cinq exemplaires, dit Jill.

Comme la jeune fille ne témoignait d'aucune surprise, Lydia se sentit obligée d'ajouter quelque chose :

— Vous ai-je dit que mon fils Mathieu revient d'Australie ?

— Certainement, madame. Terry m'en a parlé, aussi. Je suis sûre qu'il est impatient de revoir son frère.

Jill s'était approchée du fauteuil de Lydia. Elle venait prendre les lettres auxquelles elle devait préparer une réponse. Elle resplendissait de jeunesse, de beauté et, aussi d'excellente éducation. Tout ce qui manquait à Lydia Woodley.

— Il est resté longtemps absent, n'est-ce pas ? ajouta-t-elle.

Lydia n'eut pas besoin de chercher une réponse. Elle avait prévu depuis longtemps ce genre de questions.

— Dix ans, dit-elle. Mon fils travaillait pour un service administratif à Perth, en Australie.

Lydia n'était pas une femme à qui les mensonges venaient facilement. Cette fois, elle apaisait ses scrupules en se disant qu'après tout, elle ne déformait pas tellement la vérité. Mathieu avait bien travaillé pour un service administratif. Il avait fabriqué des jouets en peluche, en prison.

Elle prit une profonde aspiration.

— Il arrive aujourd'hui. Peter et Sylvia sont allés le chercher à Londres. Voilà pourquoi je souhaite que vous commenciez par ces lettres, Jill, pour que je puisse les signer le plus tôt possible. Je rentrerai chez moi pour déjeuner. C'est pour cela que je suis venue plus tôt, ce matin.

Rien de mieux, pour dissimuler un mensonge, que de le noyer dans un flot de vérités, pensait-elle.

— Eh bien, entendu. Je m'y mets tout de suite. Mais vous aimerez sans doute que je commence par vous préparer une tasse de thé ?

Cela aussi, c'était quelque chose qui lui déplaisait, chez Jill : la façon dont la jeune fille flattait son goût immodéré pour le thé, qu'elle avait vite découvert. Lydia aimait le thé très fort et elle en buvait des quantités incroyables. Jill savait exactement comment le lui préparer, et quand le lui offrir.

Puis elles se plongèrent dans leur travail respectif. Au bout de quelque temps, Jill apporta une liasse de lettres à signer. Lydia soupira et remit de l'ordre dans les pages du devis, couvertes de l'écriture soignée de Peter.

— Je n'ai pas bien la tête à ce que je fais, avoua-t-elle. Ça ne fait rien. Tapez-le tel qu'il est, Jill. Nous verrons bien ensuite. Nous avons encore une bonne semaine avant de le soumettre au conseil municipal.

C'était un devis très important. Il s'agissait de nettoyer un très grand terrain, une propriété communale. La ville avait décidé d'aménager ce domaine pour lancer une opération immobilière. Pour le moment, le terrain était couvert de mauvais chênes, d'ajoncs, d'arbres abattus et pourrissants et jonché de carcasses de voitures.

Lydia était très désireuse d'obtenir l'adjudication parce que c'était une opération importante et très profitable, parce que cela ferait travailler l'entreprise pour la ville, et surtout parce que cela donnerait à

Mathieu l'occasion de voir, dès ses débuts, une des grandes affaires traitées par la famille. Il aurait sa part de responsabilité et de bénéfices dans l'entreprise familiale. Il était juste qu'il passe par tous les rouages pour se mettre bien au courant du fonctionnement de la firme.

— Cinq exemplaires, dit Jill, approuvant de la tête. Je ferai cela cet après-midi, madame. Vous ne voyez rien d'autre ?

Lydia fit la moue.

— Non. Si quelqu'un téléphone, répondez que j'ai quitté le bureau plus tôt que d'habitude parce que mon fils arrive d'Australie.

Elle espérait que beaucoup de gens téléphoneraient. Il fallait que le bruit se répande amplement.

Elle se retourna et vit les yeux noisette de Jill fixés attentivement sur elle. Il y avait des moments où elle aimait presque la jeune fille, à cause de l'aide inappréciable qu'elle lui apportait discrètement. Mais, la plupart du temps, elle ressentait pour elle de l'aversion, sinon de la haine, à cause des voies dans lesquelles elle entraînait Terry. Certes, un jour viendrait forcément où Terry aurait envie de se marier. Lydia aurait bien voulu que ce fût avec quelqu'un... enfin, d'un niveau social un peu moins élevé que Jill. A Chyndford, il était difficile de trouver une jeune fille qui occupât dans l'échelle sociale un rang supérieur à Jill Pagett.

Lydia s'en voulait quelquefois de donner de l'importance à des distinctions de ce genre et de se refuser à voir en Jill une fiancée probable pour Terry. Mais toutes ses pensées étaient dominées par la crainte profonde de voir s'effondrer l'édifice en

apparence solide que sa famille et elle avaient réussi
à édifier et qui n'était en réalité qu'un château de
cartes. Le résultat de cette crainte était qu'elle ne
faisait confiance à personne d'autre qu'à ceux qui
avaient partagé la blessure familiale, cette blessure
pas entièrement cicatrisée.

— Bon, je m'en vais, dit-elle enfilant sa veste.

Jill, qui était déjà retournée à son bureau et qui
mettait de l'ordre dans les feuillets du devis, lui
adressa un sourire à la fois respectueux, courtois et
amical.

— Bonne journée, madame Woodley, dit-elle.
Je fermerai le bureau avant de rentrer chez moi et
je donnerai les clés à John Morris.

Lydia aurait payé cher pour savoir ce que Jill
pensait réellement, mais Jill Pagett était une des
rares personnes dont les pensées lui demeuraient
fermées.

CHAPITRE II

A trois heures, Lydia était prête, métamorpho-
sée par un tailleur vert assez élégant et un léger
maquillage. Elle avait fait plusieurs fois le tour de
la maison pour tout vérifier.

A trois heures et demie, la voiture pénétra prudemment dans la petite allée de la maison. Peter
Clark était au volant, Sylvia à l'arrière et Mathieu,
assis devant, à côté de Peter. Lydia sortit sur le
perron. Son cœur battait violemment. Elle regarda
son fils sortir de la voiture et s'arrêter un instant,
hésitant, et regardant autour de lui.

Il était beau, tout comme son frère et ses sœurs.
Il faisait évidemment plus âgé que Terry, mais, à
part cela, il lui ressemblait terriblement. Il était
habillé de neuf, des vêtements élégants qu'on lui
avait achetés spécialement.

Une grande vague d'émotion balaya Lydia qui,
ouvrant les bras, descendit les marches.

— Bienvenue, Mathieu ! dit-elle. Te voici chez
toi.

Ils s'embrassèrent.

— Bonjour, maman, dit Mathieu. Tu as une mine magnifique. Cela me fait rudement plaisir de te revoir.

— Et c'est bon de t'avoir à nouveau avec nous, Mathieu.

Ils entrèrent, tous. Mathieu regardait autour de lui. Dans le salon, un plateau avait été préparé. Lydia remplit les verres et les passa à la ronde, puis elle leva le sien.

— A tous mes enfants, et à la joie de nous retrouver ! dit-elle doucement.

Elle but puis reprit, plus gaiement.

— Le voyage s'est bien passé ?

— L'autoroute n'a pas beaucoup plu à Mathieu, dit Peter. J'ai roulé à cent vingt, mais il trouvait que j'allais trop vite.

Lydia fit la moue.

— Il avait bien raison !

Mathieu partit d'un bon rire franc, naturel.

— Tu n'as pas du tout changé, maman ! déclara-t-il.

— Je te l'avais bien dit, remarqua Sylvia. Elle continue à nous faire marcher tous comme si nous étions toujours des enfants. Partons, Peter. Il faut aller prendre les enfants chez Rose. Nous passerons demain, Mathieu, avec Elizabeth et Lyle ; ils meurent d'envie de te voir. Jane et Jackie aussi, d'ailleurs, les jumeaux de Rose. Ni elle, ni nous n'habitons bien loin d'ici. Mais tu verras par toi-même. A bientôt.

Ils s'en allèrent, discrètement. Mathieu restait planté au milieu du salon, parfaitement immobile.

— Eh bien ! tu ne veux pas te débarrasser de

ta veste, Mathieu ? Tu ne t'asseois pas ? Tu es chez
toi, tu sais ?

Il approuva de la tête. Son regard s'était fixé
sur un tableau, au mur. Un tableau qui n'avait rien
de particulier, pourtant. Mais le jeune homme semblait comme hypnotisé.

— Oui, maman, dit-il, d'une voix lente. C'est
une très jolie maison, que tu as là. Et la voiture
dans laquelle Peter est venu me chercher est belle.
J'ai cru comprendre que Terry avait un bolide... Je
sais que vous avez travaillé très dur, tous ; mais,
maintenant que je vois le résultat, j'en reste un
peu confondu. Tu me diras que tu me rendais visite
et que tu m'expliquais tout, et que tu m'écrivais
tout ; mais, tant qu'on ne voit pas les choses, de ses
yeux, on ne se rend jamais bien compte. A mon
avis, il ne peut rien y avoir de trop beau pour vous,
pour chacun de vous. Et je crois que j'ai une chance
formidable d'avoir une famille comme la mienne.

C'étaient des propos sérieux, générateurs d'émotion. Et, s'il y avait une chose que Lydia ne pouvait pas supporter, c'était bien les émotions. Elle
avait peur de ses propres larmes. Mathieu avait
toujours eu le don de faire de beaux discours. Elle
écarta ses remarques d'un geste.

— Oui, grommela-t-elle, tout cela est très beau.
Reste à voir si tu ne changeras pas d'avis quand tu
auras un peu vécu avec nous et que tu auras vu
combien nous nous chamaillons ! Parce que, tu sais,
Mathieu, tu vas te mettre au travail. Comme nous
tous. Le travail guérit tous les maux, comme on dit...
Oh ! quand tu seras prêt, bien sûr. Prends un jour
ou deux pour te remettre et t'accoutumer à ta nou-

velle vie. Mais surtout, n'oublie plus qui tu es.
C'est le plus important ! Tu t'appelles Mathieu
Woodley. Tu as travaillé à Perth, en Australie. Dans
l'administration. Répète !

— Je m'appelle Mathieu Woodley. J'ai travaillé
à Perth, en Australie, pour l'administration.

Il se mit à rire.

— C'est bon, maman, ne t'en fais pas. Je sais
tout cela par cœur. J'ai lu des tas de livres sur
l'Australie. J'ai travaillé à la bibliothèque pendant
deux ans, tu sais.

Elle approuva d'un hochement de tête.

— Terry va bientôt rentrer. Il travaille en ce
moment pour l'entreprise Williams, une entreprise
de construction. Il nettoie un terrain sur lequel ils
vont construire des maisons individuelles. Il sera
là ce soir. Nous dînerons tous les trois.

— Ce travail que Terry fait... cela a l'air intéressant ?

— Intéressant, je ne sais pas trop, répondit-elle.
En tout cas, c'est rudement salissant. Mais c'est dans
la boue qu'on ramasse de l'argent. Tu apprendras
cela. Va porter ta veste dans l'entrée.

Il la regarda et sourit. C'était le même sourire
charmant, avec cette légère nuance d'étourderie in-
souciante, un peu casse-cou, qui lui avait fait faire
fausse route dans sa jeunesse.

Ils lui donnèrent du temps pour s'habituer peu
à peu à sa nouvelle vie, pour ne pas le noyer d'un
coup. Il alla rendre visite à ses sœurs. Les Clark

habitaient une maison moderne, dans une banlieue
élégante. Il fit, chez eux, la connaissance d'un
neveu et d'une nièce qui n'étaient pas encore nés
lors de son « éclipse » : la petite Elizabeth, qui
avait huit ans, et le petit Lyle, qui en avait cinq.
Les Morris, eux, habitaient deux vieux cottages,
qu'ils avaient rénovés et réunis pour faire une
demeure charmante. Mathieu retrouva chez eux
deux adolescents en qui il ne reconnut guère les
jumeaux qu'il avait connus tout bébés. Il revint
de chez Rose avec une boîte de six œufs, frais
pondus par les poules qui se promenaient librement
autour de la maison.

Il travailla un peu à arracher les mauvaises
herbes dans le jardin de sa mère pour faire disparaître cette pâleur déplaisante qu'il avait rapportée
de la prison. Le soir, l'un ou l'autre des garçons,
Terry, John, ou Peter l'emmenait dans l'un des
pubs qu'ils fréquentaient, lui offrait une chope de
bière et le présentait aux gens qu'ils connaissaient.
Mathieu s'apercevait que son frère et ses beaux-frères connaissaient beaucoup de monde et semblaient
bien aimés. Mathieu bénéficiait de cette popularité
familiale ; les gens acceptaient l'histoire que les
siens avaient racontée sur lui sans poser de questions et il s'adapta sans difficultés à ce cercle de
relations.

La nuit, il dormait béatement dans une chambre
confortable où il était enfin seul.

Après quelques semaines de cette existence passée à se mettre au courant de la vie que menaient
les siens, il en était venu à pouvoir parler avec aisance des affaires locales, de gens et de lieux qui

lui devenaient peu à peu familiers. Lydia, soulagée,
constata que le premier pas était fait. Il était temps
de faire entrer Mathieu dans le circuit de la vie
laborieuse des Woodley.

— Tu n'es pas encore allé au chantier, Mathieu ? remarqua-t-elle.

Il n'y était pas encore allé, en effet, mais il
savait où il se trouvait. Chaque fois qu'ils étaient
sortis ensemble, Terry et lui, ils étaient passés devant,
à l'aller et au retour. De plus, on lui avait remis un
exemplaire du devis Moorfield et on l'avait invité
à l'étudier. Cela paraissait important et tous les
autres, même ses sœurs, semblaient comprendre de
quoi il s'agissait. Lui, non.

Donc, un jour, il se rendit au chantier, vers dix
heures du matin. Il était plutôt trop élégamment
vêtu, comparativement à ceux de sa famille, du moins
de ceux qui travaillaient au chantier : pantalon au
pli impeccable, pull jaune à col roulé, veste bien
coupée. Il entra dans la cour d'un bon pas et la première chose qu'il aperçut fut une porte avec un
écriteau : « Bureaux ».

Il savait que c'était le sanctuaire de sa mère ; que
c'était là aussi que Peter Clark, qui était compétent
en finances et en chiffres, élaborait ces mystérieux
devis dont la signification paraissait évidente à tout
le monde, sauf à lui. Il frappa à la porte et entra.

La première impression qu'il eut du bureau de
sa mère fut qu'il ressemblait étrangement à son ancienne cellule de prisonnier, avec son ameublement
spartiate et ses murs de pierre simplement blanchis
à la chaux.

Sa mère n'était pas là. Mais il y avait dans le

bureau une jeune fille installée devant une machine
à écrire, la tête penchée sur son travail. Ses longs
cheveux blonds retombaient devant son visage et le
cachaient partiellement. En entendant Mathieu entrer, elle releva brusquement la tête et le jeune
homme fut assez surpris de voir son visage s'éclairer d'un coup, merveilleusement, mais cela ne dura
qu'un instant : la lumière disparut presque aussi
brusquement qu'elle était apparue.

— Mon Dieu ! s'exclama-t-elle. Je vous avais
pris pour Terry. Vous vous ressemblez beaucoup !

Elle avait un visage charmant, vif et expressif,
une allure moderne. Une petite flamme passa dans
les yeux de Mathieu. Il sourit.

— Non, je ne suis pas Terry. Je suis Mathieu,
dit-il.

— Bien entendu, répondit Jill, qui avait repris
ses manières de parfaite secrétaire. Excusez-moi.
J'aurais dû me rendre compte immédiatement que
ce ne pouvait pas être Terry qui arrivait habillé
ainsi à cette heure. Madame Woodley est sur le
chantier. Elle avait deux mots à dire à John Morris.

Elle allait se détourner pour se remettre à son
travail mais, comme il la regardait toujours, elle
attendit poliment.

— Et vous, dit-il, j'imagine que vous êtes la secrétaire de ma mère. Jill, n'est-ce pas ? Jill Pagett ? Elle m'a parlé de vous.

Elle approuva de la tête. Brusquement, il tira de
sa poche les feuilles froissées du devis Moorfield.

— Croyez-vous que vous pourriez m'expliquer
ceci ? demanda-t-il. Je suis nouveau dans ce métier,

comme vous le savez probablement, et je me sens un peu perdu. Les autres m'ont donné des tas d'explications, mais je ne suis pas très sûr tout de même...

Elle le regarda, étonnée.

— Mais vous n'avez là que le premier brouillon, monsieur Woodley, dit-elle. Le devis a été révisé, depuis, et mis au point. Je suis en train de taper le document définitif.

— En effet, oui. Mais, avant que le document que vous tapez me parvienne, pourriez-vous me donner des explications sur un ou deux points de détail ? Ceci, par exemple. Qu'est-ce que cela veut dire ?

Elle jeta un coup d'œil sur le papier, puis regarda Mathieu.

— Avez-vous déjà vu le terrain de Moorfield, monsieur Woodley ?

— Non.

— Dans ce cas, je crois que, ce que vous avez de mieux à faire, est d'aller y jeter un coup d'œil. Cela vous donnera une idée du travail à exécuter. C'est un travail qui ne peut être exécuté qu'avec des machines très spécialisées, et c'est un élément essentiel du devis. Vous avez vu que le devis comporte une explication des engins et des méthodes que l'entreprise Woodley se propose de mettre en œuvre. Quant à cette partie, la plus délicate...

— Vous comprenez vraiment tout ça ? coupat-il, observant d'un œil amusé son visage attentif, sérieux.

— Je comprends dans la mesure où on compte que je le comprendrai. C'est madame Woodley qui, avec les autres dirigeants de l'entreprise, étudie ces dossiers et essaie de déterminer le temps qu'une opération prendra et le prix qu'elle coûtera. Il faut compter l'amortissement des machines, bien entendu, le carburant consommé par les engins, les frais de main-d'œuvre, les charges sociales...

— Vous êtes rudement calée, remarqua-t-il.

— Moi ? Non. Ce sont les membres de votre famille qui sont calés !

Elle lui sourit et le sourire fit apparaître une petite fossette au coin de sa bouche.

— Je suis sûre que vous vous y mettrez en un rien de temps, vous aussi. Madame Woodley m'a dit que vous alliez venir travailler avec nous.

— Bien sûr ! dit-il, avec un élan d'enthousiasme fort nouveau.

En fait, pour la première fois, depuis bien des années, il était vraiment aux anges. Il occupait l'attention de cette fille qui était vraiment ravissante. Cela lui donnait l'impression de renaître.

Tout de même, il avait intérêt à se montrer prudent.

— Vous avez dit que ma mère était sur le chantier ? demanda-t-il. Par ici, ou par là ?

Elle haussa les épaules en riant.

— Cela n'a pas d'importance. Vous ne pouvez pas ne pas voir l'atelier. En sortant d'ici, tournez à gauche, et vous y serez tout de suite.

Ils riaient encore, tous les deux, quand la porte s'ouvrit brutalement, comme toujours quand c'était Lydia qui la poussait.

Elle s'arrêta un instant en voyant la scène : Mathieu, élégant, beau, rajeuni, Jill, avec cet air

content qu'ont toutes les femmes quand on leur
fait des compliments.

— Je ne savais pas que tu devais venir, Mathieu ! s'exclama-t-elle.

— J'arrive à l'instant. Je m'apprêtais à aller te
chercher à l'atelier. J'ai bavardé un moment avec
Jill.

Le nom était venu facilement sur ses lèvres. Il
n'y avait pas de mal à cela. Tout le monde l'appelait Jill. Personne ne faisait de cérémonies, dans
l'entreprise Woodley. Lydia se rassura ; elle se laissait aller si facilement à ses craintes, pour la
moindre chose !

— Je vois. Il est donc inutile que je vous présente. Jill est ma secrétaire.

Elle avait si bien pris garde de ne pas regarder
Jill pour dire cela que c'en était presque désobli-
geant. Elle s'en rendit compte et corrigea aussitôt
l'impression qu'elle avait pu donner en ajoutant
quelques mots de louange qui lui venaient difficilement :

— Je ne sais pas ce que je ferais sans elle...
Donc, tu as vu les bureaux. Viens voir l'atelier,
maintenant. John est en plein travail. Il a acheté
une excavatrice d'occasion à une vente aux enchères,
il y a deux semaines ; Sam et lui l'ont entièrement
démontée. Sam est son bras droit.

Cela ne lui ressemblait pas de se laisser aller à
bavarder ainsi. Elle s'arrêta net. Elle prit le bras de
son fils et le poussa devant elle. Le jeune homme
n'avait pas encore franchi la porte qu'il entendit,
derrière lui, le bruit de la machine à écrire. Jill
s'était remise au travail.

Lydia garda en tête l'image des deux jeunes gens, comme elles les avait surpris : en train de rire, en se regardant. Et cela la mit de mauvaise humeur.

Elle n'aurait pas su dire au juste pourquoi elle se sentait irritée. C'était sans doute qu'elle voyait des dangers partout. La moindre chose suscitait ses appréhensions.

Elle regrettait d'avoir engagé Jill Pagett, en tout cas. Elle aurait pu chercher un prétexte pour la renvoyer, mais elle savait bien que ce n'était pas de ce côté qu'elle pouvait chercher une solution.

Jill Pagett ne revit pas Mathieu Woodley, ce jour-là. Il retourna chez lui sans passer par le bureau, et sa mère l'accompagna. Il lui avait fait bonne impression et elle pensa un moment à lui en continuant son travail. Puis l'image de Terry revint occuper son esprit.

Jill se moquait absolument du caractère peu romantique de son environnement de travail et des activités professionnelles des Woodley. La froideur de Lydia, sa rudesse même, la laissaient indifférente.

Elle ne s'intéressait qu'à Terry, et c'était réciproque. Elle en était certaine. Chacun d'eux n'avait plus pensé qu'à l'autre, dès leur première rencontre. Ç'avait été, pratiquement, le coup de foudre.

Dans ces conditions, pourquoi leurs relations n'évoluaient-elles pas vers une conclusion normale ? Terry ne lui avait jamais avoué expressément son amour ; de mariage, il n'avait jamais été question. Quand il l'embrassait, elle sentait qu'il s'exprimait mieux qu'avec n'importe quelles paroles. Mais pourquoi ne les prononçait-il pas ? Elle sentait une barrière entre eux, même quand il la tenait dans ses bras, mais elle était incapable d'expliquer ce qui se passait exactement.

Jill n'était pas une fille indécise. Elle savait ce qu'elle voulait : Terry. Et, à moins qu'il ne lui prouve de façon évidente qu'il ne voulait pas d'elle, elle était bien décidée à le conquérir.

Elle avait terminé son travail, mais elle traînait dans le bureau, espérant qu'il passerait, bien qu'il y eut peut de chances. Habituellement, il restait jusqu'à la fin de la journée sur le chantier en cours, puis rentrait directement chez lui pour se nettoyer, occupation qui, étant donné ses activités, lui prenait toujours un bon moment.

Il y avait une réunion du Rally Club, ce soir-là. Terry n'avait pas dit s'il s'y rendrait. Sans lui, elle ne savait pas trop si elle avait envie d'y aller elle-même, encore qu'elle fût sûre d'y retrouver bon nombre d'amis. Mais il n'avait rien dit de ses intentions, et elle le regrettait.

Elle ferma le bureau et donna les clés à John Morris. Elle sortait sa bicyclette quand la voiture sport de Terry franchit le portail. A cette vue, Jill sentit son cœur bondir.

— J'ai bien failli te rater, Jill ! cria-t-il, courant vers elle.

Il était vêtu d'une salopette noire, de grosses bottes de caoutchouc et d'un bonnet de laine, le tout couvert de boue. Mais Jill ne voyait pas ces détails. Elle ne voyait que le visage ardent et les yeux brillants qu'elle aimait.

— Je me suis arrêté un peu plus tôt pour

pouvoir t'apercevoir avant que tu ne rentres chez
toi. Tu viens, ce soir, à la réunion ?

Elle acquiesça.

— Je passe te prendre à huit heures ?

— D'accord.

Ce fut tout. Jill Pagett ne perdait jamais son
temps à jouer au chat et à la souris avec Terry.
Elle l'aimait, et elle le lui montrait.

Elle sauta sur sa bicyclette et se dirigea vers la
colline qui était la partie la plus ancienne et la plus
charmante de la ville et pleine de souvenirs des
Pagett.

C'était là qu'avait toujours vécu Jill, dernier
rejeton d'une famille autrefois riche et extrêmement
respectée dans tout le comté, et qu'elle habitait
maintenant avec la seule parente qui lui restât,
sa tante, Hester Pagett.

Hester Pagett ne fut pas très contente quand Jill
entra en coup de vent, annonçant qu'elle sortirait,
ce soir-là, avec Terry Woodley, et qu'il passerait la
prendre à huit heures. La jeune fille monta aussitôt
au premier prendre son bain et s'habiller.

Hester Pagett avait été très mécontente de voir
Jill travailler chez les Woodley. C'était déjà assez
regrettable que la fortune des Pagett ait fondu avec
une rapidité déconcertante et qu'une jeune fille soit
obligée de gagner sa vie. Hester supportait mal
que Jill sorte avec Terry Woodley qui exécutait des
opérations de nettoyage et de démolition qu'elle
jugeait assez répugnantes.

En outre, depuis que Jill avait fait la connaissance de Terry, elle avait perdu tout intérêt pour
Ronald Colvill, qui n'était pas seulement jeune,

charmant, recherché par la gent féminine, mais
qui avait en ville un cabinet juridique fort bien
achalandé et qui était le fils unique du colonel Colvill grand propriétaire terrien.

Son mécontement s'accentua quand elle vit Jill
avaler son dîner à toute vitesse. La jeune fille était
rayonnante dans sa jupe longue et sa blouse de satin
bleu. Tant de beauté, de charme et d'élégance gas-
pillés pour un Terry Woodley ! Tant d'intelligence
gaspillée à travailler pour sa terrible mère ! Hester
Pagett en arrivait parfois à se demander si Jill
n'était pas une résurgence tardive de quelque souche
Pagett moins distinguée que les représentants de
l'espèce qu'elle avait elle-même connus et dont elle
aimait se vanter.

Incapable de se contenir, elle lança une attaque
sournoise à Jill.

— Vraiment, je ne comprends pas comment tu
peux continuer à travailler pour cette horrible
femme ! dit-elle.

— Elle me paie très bien, tout bonnement, répliqua Jill, lassée de voir sa tante rouvrir une vieille
querelle.

— Mais te rends-tu compte que ces Woodley
ne sont pas autre chose que des bohémiens ?

Voyant Jill froncer les sourcils, Hester modéra
légèrement son appréciation :

— Enfin, c'est très probable. Que pourraient-
ils être d'autre, quand on sait comment ils vivaient
quand ils sont arrivés à Chyndford ? Naturellement,
tu ne peux pas t'en rendre compte. Tu étais trop
petite, à l'époque et, bien entendu, je ne t'aurais

jamais laissée aller dans ces quartiers de la ville.
Mais je me souviens...

— Tu as parfaitement raison, tante Hester. Je
n'ai rien su de ce qui se passait à cette époque, donc
je ne peux pas m'en souvenir. D'ailleurs, je ne
vois pas qu'elle importance cela peut avoir. Ils sont
tous très à leur aise, maintenant. Et, à ce que je vois,
ils le méritent, car ils travaillent durement. Je
conviens que le travail qu'ils font n'est peut-être
pas aussi distingué que d'autres ; mais c'est un
travail socialement utile, essentiel même, et ils le
font avec une correction incontestable.

Ayant ainsi répondu par avance aux arguments
favoris de sa tante, elle changea de conversation,
avec entrain :

— Ce steack était vraiment délicieux. Puis-je
avoir un peu de pudding, tante Hester ?

La vieille dame servit le dessert. Elle crevait littéralement d'une irritation qui, chez une personne
possédant moins de retenue, aurait pu passer pour
méchante.

— J'espère que tu n'envisages pas d'épouser ce
Terry ? lança-t-elle.

Jill, qui ne pensait qu'à cela, réussit à afficher
un sourire splendide.

— Quand je déciderai de me marier, tante Hester, tu seras la première à le savoir... Ce pudding
est succulent ! Ma chère tante, tu es une cuisinière
hors pair. Je t'assure que, si tu voulais exploiter
toutes tes recettes secrètes, tu aurais un succès terrible ! Tu n'aurais qu'à transformer la maison en
restaurant, à demander une licence et à faire la
cuisine toi-même, ou à la surveiller, tout au moins.

Les gourmets de France affrèteraient des bateaux pour venir goûter tes sablés aux framboises !

La jeune fille ne laissa pas une miette de gâteau dans son assiette, indifférente à la réaction de sa tante, qui avait pâli en entendant la curieuse suggestion de sa nièce. La pauvre femme avait consacré sa vie à l'entretien de la maison qui avait été bâtie au dix-septième siècle, par un Pagett, pour les Pagett. Cette maison était un gouffre dans lequel disparaissaient jusqu'au dernier sou ses maigres revenus. Mais le fait d'habiter ce cottage familial lui conférait un statut social incomparable. C'étaient des choses qui visiblement échappaient complètement à Jill.

Un moteur rugit, dans la rue, à hauteur du cottage, puis le bruit s'éteignit.

— Mon Dieu, Terry, déjà ! s'écria Jill, se levant d'un bond. Je t'en supplie, tante Hester, sois gentille avec lui !

Recommandation bien inutile. Hester Pagett était trop bien élevée pour se montrer impolie avec qui que ce soit. Elle regarda sa nièce d'un œil ironique et alla ouvrir la porte de la maison pendant que Jill courait au premier prendre un châle.

Elle accueillit donc Terry avec beaucoup de charme et une grande courtoisie. Elle lui demanda comment il allait, remarqua que la soirée était belle et que ce temps était exactement ce qui convenait pour ses rosiers. Elle insista beaucoup sur ce point, montrant qu'elle y attachait une importance considérable.

Mais, quand Jill descendit et que les deux jeunes gens sortirent, elle resta un moment dans l'embra-

sure de la porte à les regarder descendre le chemin
en direction de la voiture de Terry, et elle sentit son
cœur se serrer : de toute évidence, ils formaient un
couple magnifique. Ils étaient tous deux jeunes et
beaux, étonnamment assortis. Terry avait passé son
bras autour des l'épaules de Jill et se penchait légèrement vers elle pour lui chuchoter quelque chose à
l'oreille.

Tout de même, se disait Hester, il y avait dans
cette histoire quelque chose de... d'anormal.

— Chaque fois que je parle à ta tante, elle
m'en impose terriblement, disait Terry. Elle est merveilleuse. Une vraie grande dame.

Jill sourit mais ne répondit pas. Elle se demandait si c'était le milieu social duquel elle était issue
qui intimidait Terry ?

CHAPITRE III

La réunion du club, fut d'abord, comme d'habitude consacrée à l'examen des affaires courantes. Mais il n'y avait pas de graves questions en discussion et le président mena rondement les choses. Après quoi, la soirée prit un caractère beaucoup plus plaisant. Ce ne fut plus qu'une réunion, comme une autre, de jeunes gens réunis par des coutumes et des goûts communs, qui se reposaient des fatigues de la journée en buvant quelques verres ensemble, en bavardant, en écoutant de la musique, en dansant. Terry et Jill circulaient un peu parmi les groupes mais ils restaient surtout beaucoup ensemble, et personne ne cherchait à les séparer.

Quand ils en eurent assez, ils quittèrent le club pour rentrer chez eux, mais Terry prit le chemin des écoliers. Il s'arrêta bientôt, poussant un profond soupir. Le cœur de Jill battit plus vite.

— La journée a été dure, remarqua-t-il.

Puis il la prit dans ses bras et l'embrassa. Elle mit tout son cœur dans la réponse. « Terry, mon amour... », soupirait-elle.

Ils se séparèrent. Il ne disait rien. Il continuait
à la tenir contre lui, mais l'instant magique était
passé. Jill lutta contre une soudaine envie de pleurer.

— Ton frère Mathieu est venu au bureau,
aujourd'hui, dit-elle d'une voix qui tremblait un
peu. J'ai fait sa connaissance.

— C'est ce qu'on m'a dit.

Elle avait senti le bras qui la tenait se raidir
légèrement.

— Il te ressemble étonnamment, Terry. Quand
il est entré dans le bureau, j'ai cru un moment que
c'était toi.

— Oui, nous nous ressemblons, répondit-il.

— Il doit trouver du changement, avec l'Australie ?

Pourquoi perdaient-ils ces instants précieux à
parler de Mathieu ?

— Oui, beaucoup de changement, mais il
commence à s'habituer. Veux-tu que nous sortions
vendredi soir ? Nous pourrions dîner quelque part,
puis aller danser ?

Vendredi soir ? On n'était encore qu'au mercredi. Cela voulait-il dire qu'elle ne le verrait pas
le lendemain ?

— Certainement, cela me ferait grand plaisir,
répondit-elle, mais d'une voix qui, pour un moment,
avait pris cette intonation subtilement hautaine et
protectrice qui caractérisait Hester.

Elle se disait qu'elle aurait dû refuser, dire
qu'elle était déjà prise ailleurs.

— Seigneur ! Regarde l'heure ! Il faut que

je sois debout à six heures du matin ! s'exclama-
t-il.

Il la reconduisit chez elle et lui ouvrit cérémonieusement la portière. Ils échangèrent un dernier
baiser d'adieu.

Terry se remit au volant et poussa un terrible
juron.

— Seigneur ! Comment suis-je obligé de me
conduire ?

*
* *

Mathieu s'était installé confortablement dans le
cocon de la personnalité que sa mère et les siens
avaient préfabriquée pour lui.

Il avait fait connaissance de quantité de gens
et personne n'avait soupçonné que l'histoire de
son séjour en Australie pouvait ne pas être vraie.
Lorsque, par hasard, il se trouvait quelqu'un qui,
par une question gênante, risquait d'engager la
conversation sur des voies dangereuses, il se trouvait toujours un membre de la famille Woodley
pour changer de sujet.

Mathieu essayait sincèrement, aussi, de comprendre le fonctionnement de l'entreprise familiale.
Il était parti avec Terry à six heures et demie, par
un matin pluvieux pour se rendre sur un terrain
qui lui paraissait avoir été le théâtre d'un terrible bouleversement. Il avait failli rester pris dans
un extraordinaire bourbier et il avait grimpé dans
la cabine d'une démolisseuse mécanique dont le
marteau volant l'avait terrifié. Terry, au contraire,
jouait avec les manettes de tous ces engins comme

s'il avait eu affaire à une machine à sous et faisait tomber sous la pression du bélier des pans de
murs entiers.

Il avait passé des heures entières à l'atelier, suivant les allées et venues de John Morris, le regardant démonter et remonter des moteurs, avec des
gestes aussi délicats que s'il s'agissait de manipuler des poussins à peine éclos.

Il s'était installé devant le bureau de Peter Clark
et avait admiré la puissance de calcul de cet homme,
qui analysait en quelques instants des pages entières
de chiffres auxquelles Mathieu ne comprenait rien,
vérifiant des factures, corrigeant des devis, fron-
çant les sourcils devant certains dépassements.

Et, à les voir tous faire des choses dont il se
savait incapable, il se sentait petit, humble. C'était
une des raisons pour lesquelles son œil s'allumait
chaque fois qu'il tombait sur le spectacle ravissant
et reposant de Jill Pagett. Son sourire avait encore,
dans ces moments-là, un peu plus de charme.

On ne le laissait pas tranquille souvent, d'ailleurs, sauf le soir. Et ses soirées même étaient souvent prises, car on lui infligeait avec une régula-
rité et une sévérité particulières des leçons de
conduite automobile.

Il n'avait pas de permis de conduire. Comme
il y avait plus de dix ans qu'il n'avait pas touché
un volant, il lui restait beaucoup à apprendre avant
d'être en mesure de passer l'examen. Il n'était pas
question d'avouer dans Chyndford qu'il n'avait pas
son permis. Sa famille s'occupait donc de cela aussi.

Tous les jours, à un moment quelconque un de
ses frère et sœurs ou de ses beaux-frères l'emme-

nait discrètement dans quelque coin assez éloigné
de la ville pour que personne ne s'étonne de voir
circuler cette voiture, qui pouvait être reconnue,
affublée en Angleterre du panneau « L » des
apprentis conducteurs. Il prenait alors le volant et
apprenait à se sortir avec aisance des manœuvres
les plus savantes.

En résumé, la famille l'extirpait peu à peu de
ce néant statique auquel l'avaient réduit ses dix
années de prison. Elle le démontait et le remon-
tait pièce à pièce, aussi délicatement et sûrement
que John Morris manipulait ses vieux moteurs. Le
processus n'était pas indolore et Mathieu acceptait
avec joie toute ce qui pouvait momentanément
relâcher la tension à laquelle il était soumis.

Ce soir-là, c'était le tour de Terry d'emmener
Mathieu pour sa leçon de conduite. Terry avait
carrément refusé de laisser cet apprenti manipuler
son bolide. Ils avaient donc pris la vieille petite
voiture que Sylvia et Rose se partageaient pour
faire leurs courses et conduire les enfants à l'école.

Mathieu, sous la direction de Terry avait sil-
lonné les rues d'une ville voisine à l'heure de pointe.

Après avoir été soumis à de nombreuses épreuves familières, à tous les conducteurs, Terry avait
eu pitié de lui et déclara qu'ils avaient juste le
temps d'aller prendre un verre au « Lion Bleu ».

— Ce n'est pas trop tôt, grogna Mathieu. Je
commençais à croire que tu allais me laisser rentrer
le gosier sec à Chyndford !

Il sut se garer sans trop de mal et les deux
frères se retrouvèrent devant le bar du pub, assailli
par les buveurs de la dernière heure.

— Je ne m'imaginais pas que la circulation était devenue aussi difficile, avoua Mathieu, portant la chope à ses lèvres.

— Tu t'y habitueras. Tu ne te débrouilles pas trop mal, déjà. Ton examen est dans une dizaine de jours, n'est-ce pas !

Mathieu ne répondit pas. Il avait regardé autour de lui et ses yeux s'étaient arrêtés sur la jolie fille qui servait les consommations, à l'autre bout du bar.

— Cette fille, dit-il, elle me rappelle un peu Jill Pagett, la secrétaire de maman.

Terry se retourna un instant.

— Je ne vois pas la ressemblance, bougonna-t-il.

— Non ? Pourtant, elle a un peu les mêmes cheveux... Tu as peut-être raison, après tout.

Mathieu haussa les épaules et but une gorgée.

— Elle est superbe... je veux parler de Jill. Elle a.... de la classe.

Une rage inhabituelle s'empara soudain de Terry. Il regarda son frère bien en face.

— Chasse gardée ! s'exclama-t-il.

— Comment ? fit Mathieu, étonné. Je n'en savais rien. Personne ne m'avait averti. Vous êtes fiancés ?

Terry hocha négativement la tête. Une étincelle malicieuse s'alluma dans l'œil de Mathieu.

— Dans ce cas, tu n'as aucun droit particulier sur elle, n'est-ce pas ? Et si j'étais à ta place, mon vieux, je me dépêcherais, avant que quelqu'un d'autre...

Il s'arrêta brusquement en voyant l'expression menaçante qu'avait prise le visage de Terry.

« Imbécile ! » pensait celui-ci. « Il n'a encore rien compris, décidément. Sans lui, je me trouverais avec Jill, en ce moment. Sans lui, d'ailleurs, nous serions probablement déjà mariés. »

*
* *

Si Lydia Woodley avait jamais pu se sentir heureuse, ç'eût été le cas un moment plus tôt, dans cette salle à manger où toute sa famille était réunie autour d'elle. Oui, dans cette pièce, à l'abri de tous ceux qui pouvaient leur vouloir du mal.

Mais une bombe venait d'exploser. Et Lydia jetait des yeux incrédules sur Sylvia Clark, qui venait de l'annoncer, tout tranquillement.

— ... En somme, conclut Sylvia, une réception.

— Une réception ? répéta Lydia, abasourdie ? Mais pourquoi ?

— Eh bien, pour ton anniversaire, le mois prochain. Tu vas avoir soixante ans, maman.

Sylvia regarda autour d'elle en souriant.

— Nous avons voulu te faire la surprise, dit Rose. Tout est arrangé. Nous n'attendons plus que ton accord, naturellement. Tu n'auras rien d'autre à faire qu'à t'acheter une jolie robe. Sylvia et moi, nous en avons justement vu une, qui t'irait comme un gant. Un joli bleu, avec quelques paillettes...

— Mais nous fêtons tous mes anniversaires ici, à la maison !

— Oui, mais cette fois, nous avons pensé à

autre chose : une grande réception, à laquelle nous inviterions tous nos amis.

Leurs amis, oui. Lydia n'en avait point. En tout cas, aucun nom ne lui venait à l'esprit, en cette minute.

— L'hôtel Excelsior est vraiment bien, tu sais, maman. Quand je pense que tu n'y es même jamais entrée ! Ils ont une grande salle, au second, qu'ils louent pour les réceptions, les mariages. Nous l'avons louée et...

— Louée ? se récria Lydia.

— Enfin, j'ai pris une option, rectifia Peter Clark. Je dois confirmer la réservation avant la semaine prochaine.

Lydia se laissa aller contre le dossier de sa chaise. Pour une surprise, c'était une surprise ! Elle était touchée qu'ils aient pensé à elle, mais ses vieilles craintes la reprenaient, le désir de rentrer dans sa coquille et de s'y tenir, bien à l'abri de certaines rencontres avec des gens qui pouvaient avoir trop de mémoire. Depuis près de dix ans qu'elle habitait Chyndford, elle avait réussi à ne se lier avec personne, à ne pousser aucune relation jusqu'à un plan amical. Et cela lui convenait parfaitement.

— Combien de personnes avez-vous invitées à cette réception ? Et qui ? demanda-t-elle, un peu oppressée.

Elle jeta un coup d'œil à Mathieu qui ne disait rien, mais qui souriait. Il était visiblement dans le secret, lui aussi.

Sylvia tira une feuille de papier de son sac et la déplia.

— Nous n'avons encore invité personne, mais nous avons déjà dressé une liste, à tout hasard. Il y a pas mal de gens du club de golf, des parents d'enfants qui sont à l'école avec les nôtres, des camarades de Terry, dans son club automobile... Cela fait une cinquantaine de personnes. S'il y a des gens auxquels nous n'avons pas pensé et que tu aimerais inviter, tu n'auras qu'à les ajouter.

Lydia prit la liste, à contrecœur, mais ne la regarda pas. Les mondanités étaient sa terreur.

— J'y réfléchirai, dit-elle.

— Tout ce que je vous demande, dit Peter, c'est de ne pas réfléchir trop longtemps. Il faut que je donne une réponse ferme, pour la réservation, et nos femmes auront beaucoup à faire pour s'occuper du buffet des robes, de tout. Elles voudront s'y mettre le plus tôt possible.

En fin de compte, ce fut John qui emporta la décision de Lydia. Il la flatta, la persuada, la bouscula même si bien que, pour avoir la paix, elle finit par consentir à ce qu'elle s'obstinait à considérer comme une manifestation extravagante et absolument inutile pour une chose aussi banale qu'un anniversaire.

— Ecoutez, Lydia, lui dit-il, tâchez de voir un peu les choses comme nous. Toutes nos difficultés sont terminées, maintenant. Mathieu est rentré au bercail, il s'adapte bien et je suis sûr qu'il ne se passera pas longtemps avant qu'il prenne sa part dans le travail de notre équipe. Nous n'avons plus à nous préoccuper de l'avenir. C'est terminé, ces temps-là ! Vous ne voulez pas que nous commencions à essayer d'oublier ?

Lydia le regarda, incapable de répondre. Peut-être pouvait-il oublier, lui. Mais elle, elle ne pouvait pas se débarrasser de l'idée qu'il y avait quelque part un inconnu — plusieurs inconnus, peut-être — qui n'avaient pas l'intention d'oublier. L'un d'eux le lui avait dit, et il l'avait menacée. « Œil pour œil, vie pour vie ». Aucune menace ne pouvait être plus terrible.

Mais, elle ne pouvait pas en parler à John. Et, dans un sens, elle comprenait qu'il avait raison et qu'il était peut-être temps pour elle d'abaisser certaines des barrières qu'elle avait édifiées autour de sa famille.

Elle faillit fondre en larmes quand il lui déclara :

— Vous savez, je me rappelle le bon temps, avant que... ces événements n'arrivent. A ce moment-là, nous n'étions pas encore mariés, Rose et moi. Je lui faisais la cour. Vous paraissiez si heureuse, si ouverte, si généreuse envers tout le monde ! Il m'arrive de penser que j'étais presque aussi amoureux de vous que d'elle, et je ne suis pas trop sûr de ne pas vous avoir épousées toutes les deux ! Malgré tout ce qui s'est passé, je ne l'ai jamais regretté.

— Tu étais déjà malin, en ce temps-là, John et tu savais obtenir ce que tu voulais, répondit-elle, d'une voix qui tremblait un peu.

C'est ainsi qu'elle se retrouva un beau jour dans une salle du second étage de l'hôtel Excelsior, le meilleur de la ville. La salle était vraiment très belle, magnifiquement décorée, et remplie pour l'heure de gens gais, qui riaient, bavardaient ou dansaient sur les airs que leur jouait un petit orchestre de quatre musiciens, installé dans un angle.

Tous ces gens-là, elle les connaissait à peine. Mais, à mesure qu'on lui présentait les uns et les autres, elle était surprise de constater qu'ils semblaient tous la connaître. D'abord un peu guindée, dans cette robe longue que ses filles l'avaient obligée à acheter, et figée au milieu de la salle, soutenue par un de ses enfants qui se relayaient autour d'elle, s'assurant qu'elle n'était jamais seule, elle finit par se détendre, puis par s'amuser franchement. Et, sans savoir comment cela s'était fait, elle se retrouva entraînée dans une danse qui lui était parfaitement inconnue, par un jeune homme qui lui avait déclaré être le secrétaire du club de golf.

Elle voyait, mêlés aux groupes, ses filles, si jolies dans leurs belles robes, et leurs maris, images de l'assurance bon enfant des hommes arrivés. Mathieu, que son œil anxieux cherchait, de temps à autre, circulait parmi les invités, bavardant avec eux comme avec de vieux amis, l'air parfaitement à son aise. Que pouvait-elle craindre encore ? Ses appréhensions n'étaient-elles qu'une forme de névrose, qui lui venait avec l'âge et les rhumatismes ?

Elle se sentait si soulagée qu'elle finissait même par regarder plus gentiment Jill Pagett, qui lui avait pourtant valu un moment d'irritation, quand elle avait vu son nom sur la liste des invités. Elle se demandait pourquoi elle avait eu ce mouvement d'humeur, maintenant qu'elle voyait Jill bavardant gaiement avec les autres et dansant, la plupart du temps avec Terry, mais aussi avec Mathieu.

Un buffet somptueux avait été disposé sur un
côté de la salle. Les musiciens s'interrompirent un
moment et les invités s'y rendirent. Lydia les regardait, tous ces gens auxquels elle se mêlait pour la
première fois : des jeunes filles rieuses, des jeunes
gens désinvoltes, des couples mariés qui se retrouvaient entre eux pour parler de leurs enfants.
Mathieu bavardait avec Terry, Jill et une autre
jeune fille ; des bribes de conversation lui arrivèrent : ils parlaient voitures, semblait-il. La réception baignait dans une atmosphère de bonne humeur
innocente, sans une fausse note.

Et Lydia fit de son mieux pour se mettre complètement à l'unisson de cette ambiance joviale et chaleureuse.

Les siens lui avaient préparé une petite surprise
supplémentaire. Après une assez longue pause, les
musiciens reprirent leur place. Il y eut un roule-
ment de tambour et un jeune serveur qui n'attendait sans doute que cette indication entra, poussant
devant lui un chariot roulant sur lequel était placé
un gâteau magnifique. Sa fille aînée, Rose, s'approcha du gâteau et prononça quelques paroles simples
et cordiales. Tout le monde chanta « Happy Birth-
day to You ». Ses quatre petits-enfants firent alors
leur entrée. Chacun tenait un bouquet : Jane et
Jackie, les jumeaux Morris ; Elizabeth et Lyle, les
deux enfants des Clark. De braves gosses qui
n'avaient jamais été effleurés par l'ombre de la
tragédie, grâce aux efforts surhumains de Lydia.

Deux larmes échappèrent à Lydia et roulèrent
sur ses joues.

Puis John Morris éteignit le grand lustre, ne

laissant que les éclairages indirects disposés discrètement derrière des plantes vertes.

— La valse de l'anniversaire ! annonça-t-il
solennellement. Nous comptons que tout le monde
y participera.

Mathieu s'était avancé devant Lydia.

— Si tu veux, maman ? dit-il.

Il la prit dans ses bras, déposa un baiser sur sa
joue et ils firent seuls, une fois, le tour de la salle,
aux accents de la valse démodée, donnant aux autres
le signal de se joindre à eux. Mathieu était beau,
parfaitement élégant, et Lydia n'aurait pu dire si
c'était de douleur ou de joie que son cœur se serrait.

— Je ne me doutais pas que tu savais si bien
danser, maman, murmura-t-il, avant de déposer un
second baiser sur son autre joue.

Tout le monde valsait, maintenant, même les
petits-enfants. Lydia eut vaguement l'impression que
Jackie Morris, garçonnet gauche et solennel qui
allait avoir douze ans, entraînait Jill Pagett. Elle se
demanda si Terry dansait avec la petite Jane, lui ?

En fait, il devenait difficile de bien voir qui dansait avec qui. La salle paraissait nébuleuse, emplie
d'une brume jaunâtre au travers de laquelle les éclairages n'apparaissaient plus que faiblement. Comme
s'il y avait du brouillard...

La même impression frappa tout le monde au
même instant. Les danseurs s'arrêtèrent et la musique mourut, sur une dernière dissonance. On entendit une toux rauque.

Ce n'était pas du brouillard. C'était de la fumée.

Certains prirent peur. D'autres se mirent à tousser. Après le grand silence qui s'était fait subitement, les bavardages avaient repris, mais sur un ton que la peur rendait plus aigu. Un des danseurs se précipita sur la porte et l'ouvrit : de grosses volutes de fumée noire pénétrèrent aussitôt dans la salle. Des cris retentirent.

— Au feu ! Au feu !

La sortie de secours était située dans un couloir bloqué par une fumée noire compacte. D'ailleurs, personne ne se rappelait exactement son emplacement. C'était par là, mais à quelle distance ? A gauche ? A droite ?...

Quelqu'un avait ouvert la trappe du monte-plats qui communiquait avec les étages inférieurs et la cuisine. Immédiatement, de nouvelles volutes de fumée se déversèrent par cette ouverture. Mais c'était, cette fois, une fumée très chaude, qui semblait indiquer que les flammes n'étaient pas loin derrière. Du même élan, les invités, horrifiés, se tournèrent vers les fenêtres. Il y en avait deux qui, heureusement, s'ouvrirent facilement, laissant entrer de l'air frais. Chacun voulut remplir ses poumons, car on étouffait, dans la salle.

John Morris inquiet, regardait autour de lui, essayant de se rendre compte de la situation. Dans l'ensemble, pour autant qu'il pût voir, tout le monde se comportait bien. Jane et Jackie, ses jumeaux, s'étaient rapprochés de Rose. Peter Clark tenait le petit Lyle par la main et Elizabeth se cramponnait à Sylvia. Tous s'étaient rapprochés des fenêtres et l'atmosphère devenait plus supportable à cette extrémité de la salle. Quel dommage qu'il n'y eût que deux fenêtres pour tant de monde ! Ils étaient une bonne soixantaine, en comptant les musiciens.

On entendait des bruits dans la rue, au-dessous. Des gens criaient, des sirènes hurlaient. Les pompiers, peut-être ? La police ? Des ambulances ? L'important était que tout le monde reste calme. John étouffait. Il chercha à se rapprocher un peu de la fenêtre, pour respirer mieux. Il faillit trébucher sur une forme étendue par terre. Une jeune fille.

Au même moment, il crut voir Mathieu s'emparer d'une liasse épaisse de serviettes en papier posée sur un coin du buffet, l'imbiber d'un liquide jaunâtre, de l'orangeade sans doute — on en avait préparé des cruches pour les enfants —, et, pressant le tampon ainsi mouillé contre ses narines et sa bouche, se diriger vers la porte.

— Reviens, Mathieu !

Il avait voulu crier, mais il eut l'impression qu'aucun son ne sortait de sa gorge.

L'imbécile ! Qu'il fasse donc ce qu'il voulait ! John essaya de soulever la jeune fille qui gisait sur le sol, mais il sentit sa tête tourner, ses forces l'abandonner. Quelqu'un arriva heureusement à la rescousse. A deux, ils traînèrent la jeune fille vers la fenêtre, juste au moment où un casque apparaissait à hauteur de l'appui. Le visage rougeaud et rassurant d'un pompier suivit.

— Voilà ! Voilà ! cria l'homme. Prenez vos numéros pour un petit tour d'échelle !

Avec une force et une adresse impressionnantes, il prit la jeune fille évanouie sur son épaule et la descendit.

Un autre pompier était apparu à la seconde fenêtre. On commença par lui passer les enfants. Presque au même moment, la porte qui donnait sur le couloir s'ouvrit. Deux pompiers équipés de masques à oxygène entrèrent, comme portés par un nouveau nuage de fumée.

— Par ici la sortie ! cria une voix déformée par le masque. Du calme, du calme, madame. Rappelez-vous : vous prenez votre respiration, et puis vous tâchez de ne plus respirer pendant quelques secondes...

Les gens coururent, un par un, dans le trou noir du couloir, au bout duquel un pompier masqué les dirigeait vers l'échelle de secours. Ensuite, ils étaient pris en main, tirés, poussés, descendus, tout cela à toute vitesse, avec une efficacité remarquable, et ils se retrouvaient en sécurité dans la rue, sans avoir bien compris comment ils y étaient arrivés.

La police entourait l'hôtel d'un cordon qui repoussait les badauds. Les agents aidaient les pompiers en vérifiant l'état de toutes les personnes qui sortaient de l'hôtel. Les pompiers dirigeaient le jet de leurs tuyaux sur le feu qui faisait rage surtout au rez-de-chaussée et au sous-sol. Peu à peu, la cohue s'organisait. On se reconnaissait, on se retrouvait. Il fallut un certain temps pour faire le compte des rescapés. On s'aperçut alors que deux personnes manquaient à l'appel elles auraient dû se trouver dans l'hôtel au moment du sinistre.

L'un était le jeune serveur qui avait apporté le gâteau d'anniversaire de Lydia. L'autre était Mathieu.

John expliqua dans quelles conditions il avait vu Mathieu quitter la salle. Quelqu'un d'autre se rappelait que le serveur était reparti presque aussitôt après avoir distribué les parts du gâteau d'anniversaire. On ne l'avait plus revu.

Des pompiers remirent leurs masques et retournèrent immédiatement dans le bâtiment en flammes.

Ils trouvèrent Mathieu et le serveur dans le couloir du second étage. Les deux hommes étaient étendus sur le sol. Le tampon de serviettes en papier, encore légèrement humide, était maintenant pressé contre le visage de Manuel, le serveur. Les deux hommes étaient inconscients, mais vivants.

CHAPITRE IV

Finalement, on n'eut à déplorer aucune perte de vie humaine. Mais l'incendie avait été important, et la presse rapporta l'affaire en détail.

Selon les premiers résultats de l'enquête, le feu avait dû prendre dans un sous-sol dont personne ne s'occupait. Il était déjà bien nourri quand les flammes s'étaient propagées vers le haut à une vitesse incroyable, se renforçant au passage de tous les combustibles qu'il avait trouvés dans les cuisines.

Bien entendu, une enquête plus sérieuse serait menée par la police. En attendant, les journalistes avaient pris de nombreuses photos, récolté des interviews. Les portraits de Manuel et de Mathieu eurent droit aux honneurs de la première page.

Manuel n'avait pas grand-chose à dire, il est vrai qu'il parlait fort mal l'anglais. Il déclara avoir servi le gâteau d'anniversaire, puis s'être rendu dans un petit office où il rangeait tout son matériel, au même étage. Il y était resté quelques instants. Quand il en était ressorti, il avait trouvé le couloir bloqué par la fumée.

Mathieu fit une déclaration simple et modeste :

— J'ai voulu essayer de repérer l'emplacement
exact de la sortie de secours, dans le couloir, comptant
revenir chercher les autres quand je l'aurais trou-
vée. Je me suis fait un tampon de papier mouillé
pour ne pas risquer d'être étouffé par la fumée.
Mais, quand j'ai débouché dans le couloir, je suis
tombé presque immédiatement sur Manuel. Il était
à terre et j'ai vu qu'il respirait difficilement. Alors,
je lui ai passé mon tampon. J'ai dû alors m'évanouir très vite.

Lydia Woodley, qui avait gardé un calme stoï-
que durant toute cette aventure, faillit perdre la
tête quand elle vit la tête de Mathieu en première
page des journaux.

Décidément, ce garçon avait une attraction fatale
pour la publicité ! Et il fallait en plus que ces
photos qui avaient paru dans les journaux soient,
pour une fois, exceptionnellement nettes ! Déjà, dix
ans auparavant, les photographes avaient saisi l'occasion de publier l'image d'un jeune homme aussi
beau. Malheureusement, à cette époque, le contraste
n'en avait paru que plus grand entre la beauté du
criminel et l'horreur du crime, l'assassinat crapuleux
d'un vieux veilleur de nuit.

Lydia voyait déjà le bienheureux anonymat
qu'elle avait eu tant de mal à assurer aux siens
s'évanouir.

— Qu'est-ce qui t'as pris de poser devant les
photographes ? lui demanda-t-elle brutalement.

Elle eut le tort, en outre, de l'attaquer ainsi directement devant les autres.

Mathieu n'était pas aussi habitué que les siens à

ses façons. Son court passage à l'hôpital ne lui avait
pas déplu du tout. Il avait apprécié les soins dont
on l'entourait et l'attention que les journalistes lui
avaient prodiguée.

— Qu'aurais-tu voulu que je fasse ? répliqua-t-il,
piqué au vif. Que je me cache sous mes couvertures ? Je ne savais même pas qu'ils avaient des appa-
reils de photo ! Ils m'ont pris à l'improviste. D'ailleurs, quelle importance cela peut-il avoir ? Qui
regarde vraiment les photos qui paraissent dans les
journaux ? Sitôt le journal lu, c'est oublié.

Il s'interrompit en voyant l'air sombre de sa
mère. Que craignait-elle ?

— Qui veux-tu qui se souvienne ? commença-
t-il.

— Ces photos, coupa-t-elle, elles tombent sous
les yeux de millions de personnes !

Et, sur ces millions, il pourrait y en avoir une
— ne fût-ce qu'une — qui n'avait pas oublié le visage
de Mathieu.

Mathieu comprenait, cette fois. Il pâlit un peu.

— C'est bon, maman. J'ai compris. Tu voudrais
peut-être que je porte un masque ?

— Cessez, tout les deux ! cria soudain Terry,
pris d'une brusque exaspération. Pourquoi nous disputer ainsi ? Ce n'est pas Mathieu qui a mis le feu,
n'est-ce pas ? Le principal, c'est que personne ne
soit mort. Je préfère aller me promener.

— Attends-moi, je t'accompagne, dit Mathieu,
soulagé d'éviter une scène pénible.

Il se dirigeait déjà vers la porte. Terry l'arrêta
d'un geste.

— Pas ce soir, Mathieu, si cela ne te fait rien.
J'ai rendez-vous avec Jill.

Il sortit. Mathieu se laissa retomber sur sa
chaise.

— Décidément, dit-il, boudeur, on dirait que
je n'apporte que des ennuis aux miens. J'aurais
peut-être mieux fait de ne pas revenir ? Je ferais
peut-être mieux de m'en aller ? Tu n'as qu'à le
dire, maman, si tu le penses.

Elle suffoquait presque d'une colère soudaine.
Elle ouvrait déjà la bouche pour laisser libre cours
à cette fureur quand, brusquement, John Morris
se mit à rire, un grand rire sonore. Lydia se retourna
vers lui, les sourcils froncés.

— Je ne vois pas ce qu'il y a de si drôle ! dit-
elle.

— C'est nous qui sommes drôles ! répliqua-t-il.
Vraiment drôles. Je viens de m'en rendre compte !

— Fais attention, toi ! bougonna-t-elle, furieuse,
mais domptée. Prends garde, si tu ne veux pas que
je t'en dise de toutes les couleurs, à toi aussi. Tiens,
je préfère aller me coucher.

John jeta un coup d'œil à sa femme, sans rien
dire.

— Oui, viens donc, maman, dit Rose. Je vais
monter avec toi. Je te préparerai une tasse de thé...
Tu aurais mieux fait de prendre quelques jours de
repos, après ces émotions...

John et Mathieu restèrent seuls.

Mathieu s'approcha de la table, se servit un
whisky puis retourna à son fauteuil et regarda son
beau-frère d'un air chagrin.

— Je me demande parfois si maman ne perd

pas un peu la tête, quand je la vois s'emporter ainsi, remarqua-t-il.

John se figea. Il était tout entier la proie d'une colère froide, mais aucun muscle ne bougeait dans son visage inexpressif. Et, lorsqu'il répondit, ce fut d'un tel air jovial qu'il fallut un moment à Mathieu pour comprendre toute l'importance de sa petite phrase.

— Pas seulement un peu, Mathieu. Entièrement... sur un point, dit-il.

Mathieu rougit.

— Tu veux dire, lorsqu'il s'agit de moi ? Mais enfin, dis-moi, John, était-ce ma faute ? Aurais-je dû laisser Manuel suffoquer sans essayer de rien faire ? Est-ce moi qui ai fait venir les journalistes ?

— Non, bien sûr, et Lydia n'aurait pas dû s'emporter contre toi comme elle l'a fait. Ce que je voudrais, c'est que tu essaies de la comprendre, que tu fasses comme nous, essaie de ne rien répondre, comme nous autres, quand elle s'emporte. En fin de compte, cela fait gagner du temps et cela coûte moins. Et puis...

— Non ! coupa Mathieu, qui avait vidé son verre d'un coup. Essaie de comprendre, toi aussi ! Ne va pas t'imaginer que je ne sais pas tout ce que vous avez fait pour moi, que je ne l'apprécie pas, mais crois-tu que cela justifie que vous vous promeniez tous avec des auréoles ? Faut-il vraiment que vous preniez des airs protecteurs avec moi, que vous ne cessiez de me dire ce que je dois faire ? C'est moi qui ai commis le crime, non ? Et c'est moi qui l'ai payé de dix ans de prison !

John eut l'impression que, durant un instant
impondérable, un masque avait glissé de ce beau
visage, révélant, au-dessous, quelque chose d'inquiétant, peut-être ? Mais, regardant à nouveau son
beau-frère, il ne vit plus dans l'attitude du jeune
homme qu'un mouvement d'humeur, ou l'émotion
un peu fausse d'un garçon qui s'apitoyait sur lui-
même.

— Tu te trompes, Mathieu ! répliqua-t-il. Nous
avons, nous aussi, fait nos dix années de prison. Si
cela a bien tourné, c'est que nous nous y sommes
employés avec acharnement. Nous ne nous collons
pas des auréoles pour autant. Tout ce que nous
attendons de toi, c'est que tu trouves ta place,
quelle qu'elle soit, où qu'elle soit. Tu peux faire
ce que tu veux. Tout ce que nous avons fait pour
toi, c'est de te donner un avantage au départ :
celui d'une famille et d'une activité professionnelle
sérieuse, sur lesquelles tu peux t'appuyer. S'il t'a
semblé quelquefois que nous te commandions de
faire ceci ou cela, c'est que nous avons emprunté
cette mauvaise habitude à ta mère. Il ne faut pas
y voir autre chose.

Mathieu avait pris un air contrit. Il approuva
de la tête.

— Le sermon est fini ! dit John, jovial. Si,
encore un mot ; il vaudrait mieux, pour toi et pour
tout le monde, que tu te montres un peu moins
susceptible. Il a été entendu que tu passerais les
trois ou quatre prochaines semaines à l'atelier, avec
Sam et moi, pour te mettre au courant de la partie
mécanique de notre affaire. Par la même occasion,
tu pourras nous donner un coup de main, car

nous sommes un peu bousculés, en ce moment.
Mais, si ça ne te plaît pas, dis-le.

Intérieurement, il se demandas que qui se passerait au juste s'il prenait à Mathieu la fantaisie de
dire qu'il refusait de se conformer à ces directives.
Mais John fut plutôt surpris de voir le visage de
Mathieu s'éclairer, comme si une idée agréable venait
de lui venir.

— Bien sûr que je ne demande pas mieux ! Je
suis prêt à commencer dès demain matin, John, si
cela te va. A quelle heure ? Sept heures ? Huit ?

— Sept heures et demie, dit John, légèrement
intrigué par ce renouveau surprenant d'enthousiasme.

Effectivement, la proposition de John avait
ouvert à Mathieu des perspectives fort agréables.
Certes, il avait compris l'admonestation ; il éprouvait quelques remords et il se disait qu'il avait bien
de la chance. Mais il se rappelait aussi que l'atelier dans lequel John lui proposait de travailler était
au fond du chantier et se trouvait en face du bureau
dans lequel Jill Pagett travaillait.

Terry fut le premier à avoir vent des répercus-
sions de la publicité inopportune que s'était faite
Mathieu. Il laissa les siens à leurs chamailleries et
se dirigea vers Chimes Cottage où il comptait
prendre Jill. Il avait une demi-heure d'avance. Il fut
accueilli par Hester Pagett qui lui ouvrit la porte
toute grande et lui fit un beau sourire.

— Bonsoir, Terry. Jill est encore en haut, mais

entrez donc. Est-ce vous qui êtes en avance, ou
elle qui est en retard ? Cela ne fait rien, entrez !

Elle n'avait jamais été aussi affable. Terry la
suivit dans la salle de séjour, charmante avec ses
fenêtres à meneaux et sa grande cheminée de bri-
que garnie de bûches de chêne.

Hester Pagett n'avait pas changé d'opinion sur
la famille Woodley mais, comme tout le monde à
Chyndford, elle était au courant de l'incendie de
l'hôtel Excelsior ; elle avait lu les articles qui avaient
paru dans la presse à ce propos, vu les photogra-
phies dans la *Gazette* locale. Elle se sentait pour
ainsi dire impliquée personnellement dans cette
histoire, du fait que Jill était présente à cette
réception qui s'était terminée si fâcheusement.

Elle aborda immédiatement ce sujet.

— Quelle histoire, cet incendie, samedi dernier ! Terrible... Quelle chance qu'il n'y ait pas eu de
victimes ! J'espère que madame votre mère s'est bien
remise du choc ? Quelle émotion cela a dû lui causer !
Surtout que c'était une réunion donnée pour son anniversaire, n'est-ce pas ?

— Oui, dit Terry, mal à l'aise.

Hester Pagett prit un numéro de la *Gazette*.

— Votre frère a fait preuve d'une bravoure étonnante ! dit-elle. Quel courage il lui a fallu pour se
mettre à la recherche d'une issue de secours dans
ce couloir empli de fumée, puis essayer de sauver
ce malheureux serveur et rester avec lui !

Elle montra la photo du doigt.

— Il a vraiment une jolie tête, n'est-ce pas ?
Je parle de votre frère, bien entendu. Et il vous
ressemble étonnamment...

— Oui, se borna à répéter Terry.

Il commençait à en avoir assez d'entendre parler de l'incendie, de la bravoure de Mathieu, de la bonne mine de Mathieu. Trop, c'est trop.

— Je crois avoir entendu Jill dire que votre frère avait occupé un poste dans l'administration australienne ? A Perth, je crois ? dit Hester.

— C'est exact, dit Terry, qui essayait de dissimuler combien il était excédé. Je suis désolé d'être arrivé en avance. J'ai dû confondre...

— Quel poste occupait-il exactement, à Perth ? poursuivit Hester.

— Il s'occupait d'importation et d'exportation, bougonna Terry.

— Vraiment ? Je me demande s'il n'aurait pas connu le frère de madame Ford-Blayne ? Il est consul de Grande-Bretagne à Perth, je crois... Oui, j'en suis même certaine ; c'est bien à Perth. Il s'appelle Denis Clarridge.

Terry éprouva une inquiètude soudaine. Pourquoi diable les siens s'étaient-ils donné la peine d'inventer de toute pièce un passé pour Mathieu ? N'aurait-il pas suffi de dire qu'il avait longtemps vécu à l'étranger ? Et puis, après tout, pourquoi n'avoir pas avoué simplement qu'il avait été en prison ? Au fond, cela ne regardait personne...

— J'avoue que je n'en sais rien, murmura-t-il.

Il se demandait déjà ce qui allait suivre quand, soulagé, il entendit la porte s'ouvrir. Jill entra, plus jolie que jamais, plus désirable dans un tailleur-pantalon bleu clair. Terry respira et se leva d'un bond.

— Bonjour, Terry. Je t'ai vu arriver, de ma fenêtre. Tu es un peu en avance, n'est-ce pas ? Tu as pu te libérer plus tôt ? En te voyant, je me suis dépêchée, et... voilà. Je suis prête.

Elle lui tendit les mains. Elle avait un sourire radieux. Il oublia Mathieu, l'incendie, ce malheureux passé, pour ne plus penser qu'à elle à la bien-aimée, à l'élue.

— Nous y allons ? Au revoir, tante Hester. Je ne pense pas rentrer très tard. Nous allons voir un film à l'Odéon.

Se rendait-elle compte qu'elle l'avait sauvé ? Terry comprit qu'elle en avait effectivement conscience dès qu'ils eurent quitté la maison et qu'ils montèrent dans sa voiture.

— Je suppose qu'elle t'a posé des questions ? dit-elle en riant. Elle ne parle plus que de l'incendie. Toutes ses amies aussi, d'ailleurs, et elle a l'impression d'avoir été aux premières loges, par personne interposée.

Avec Jill, tout devenait immédiatement plus simple, plus clair. Terry, reconnaissant, la regarda en soupirant.

— Ecoute, Jill, dit-il, tiens-tu vraiment beaucoup à voir ce film ? C'est une si belle soirée... Je m'étais dit que nous pourrions descendre à la rivière, et nous promener, simplement ?

Elle ne demandait pas mieux et sentit même son cœur battre en entendant cette proposition. Le sentier qui longeait la rivière était connu dans le pays comme la promenade des amoureux et l'on n'y rencontrait guère que de jeunes couples.

— Pourquoi pas ? répondit-elle. Je n'ai pas tellement envie de voir ce film, moi non plus.

Ils descendirent donc à la rivière. Terry se gara, puis ils descendirent, main dans la main, une pente de graviers jusqu'à l'eau qui scintillait au soleil couchant, et s'engagèrent sur le sentier déjà emprunté par d'autres flâneurs.

Ils ne parlaient guère, mais leur silence était éloquent. Ils arrivèrent ainsi à un coin boisé et, s'écartant un peu de la rivière, allèrent s'asseoir sous un grand châtaignier. Terry prit Jill dans ses bras et l'embrassa, longuement, amoureusement. Le soleil brillait à travers les branches. Le cadre était idyllique.

Trop idyllique, même, pour Terry Woodley. Il eût voulu exprimer ce qu'il avait dans le cœur, déclarer tout son amour à Jill, lui demander de l'épouser, et il ne le pouvait pas. Il ne le pouvait pas parce qu'il lui aurait fallu pour cela dire la vérité au sujet de Mathieu. Ce qu'il craignait, ce n'était pas la réaction de Jill ; c'était celle de sa mère, des siens, qui avaient si jalousement gardé leur secret. Et celle de la famille de Jill aussi, ou plus exactement de cette tante, qui semblait vivre encore dans un passé révolu, aussi esclave des traditions que Lydia Woodley l'était du crime de Mathieu.

Jill aimait sa tante d'un amour protecteur. Elle aplanissait pour elle les aspérités d'une vie, d'un monde que la vieille dame ne pouvait pas comprendre. Mais Terry aimait tout autant sa mère, qui avait trop souffert de ces épreuves et qui saignait encore parfois des blessures que la vie lui avait infligées. Ç'avait été le cas ce soir, quand elle s'était fâchée contre Mathieu parce que sa photographie avait paru dans les journaux.

Pris inextricablement dans ces séquelles d'un événement bouleversant auquel il n'avait eu aucune part, Terry ne voyait pas, pour le moment, comment résoudre son problème. Le retour inévitable de cette obsession refroidit son ardeur. Il tenait toujours Jill dans ses bras, il sentait contre lui la chaleur de son corps, mais il éloigna ses lèvres de la bouche de sa bien-aimée. Il laissa tomber sa tête et cacha son visage contre l'épaule de Jill, insensible au parfum frais qui se dégageait de la jeune fille.

Au bout d'un moment, Jill lui passa la main dans les cheveux.

— Qu'as-tu, Terry ? demanda-t-elle, dans un souffle.

S'il avait pu lui ouvrir son cœur, c'était bien le moment. Ce qui l'en empêcha, ce fut comme un écho des voix qu'il avait entendues le soir-même. La voix dinstinguée de Hester Pagett, il y avait moins d'une demi-heure : « Je me demande si votre frère n'aurait pas connu le consul de Grande-Bretagne à Perth ? » (« Non, aurait-il pu répondre, mais il connaît bien le directeur de la prison de Lowden... ») Et la voix de sa mère, un peu plus tôt, interpellant Mathieu : « Avais-tu besoin d'aller poser devant les photographes ? »

Et s'il disait à sa mère : « J'abandonne l'entreprise. Je peux travailler tout seul... »

Chimères ! Il savait bien qu'il ne pouvait pas faire cela. Mais la conscience terrible de l'impuissance à laquelle il était réduit lui fit comprendre en

cet instant qu'il n'aimait pas son frère Mathieu. Sa
mère pouvait le faire obéir, mais elle ne pouvait
pas le contraindre à aimer.

— Je me disais simplement qu'il commence à
faire frais, maintenant que le soleil s'est couché,
répondit-il évasivement à Jill. Je ne voudrais pas que
tu prennes froid.

Oui, le soleil s'était couché. Il avait disparu des
yeux de Jill, de son cœur. Elle serra farouchement
Terry contre elle, au point qu'il sentit battre son
sang dans les veines de sa gorge. Puis elle le lâcha,
tout aussi brusquement, en le repoussant presque.
Une autre occasion perdue, un espoir envolé...

— Tu as raison, Terry. J'ai froid. Nous partons ?

Ils s'en retournèrent en suivant la berge. Ils ne
se tenaient plus la main. Jill bavarda avec un entrain factice pendant tout le chemin.

Mathieu n'avait pas de complexes. Rien qui
l'arrêtât.

De l'atelier de John, au fond du chantier, il vit
sa mère et Peter Clark quitter le bureau, prendre la
voiture et s'en aller à l'Hôtel de Ville où ils devaient discuter des devis qu'ils avaient établis pour
les divers éléments du projet Moorfield. L'entreprise
Woodley avait été retenue lors du premier tri opéré
parmi les soumissionnaires et elle semblait bien pla-
cée pour enlever l'adjudication.

Mathieu attendit un quart d'heure, puis quitta
l'atelier et entra dans le bureau. Jill était là, occupée
à classer des papiers.

— Puis-je vous parler un instant, Jill ? demanda-t-il en s'approchant d'elle.

Il était grand et beau, et la salopette noire faisait ressortir sa carrure athlétique. Il s'essuyait les mains à un chiffon et regardait Jill en souriant. La jeune fille lui rendit son sourire.

— Naturellement, dit-elle.

— C'est un service que je voudrais vous demander, en réalité. Je voudrais acheter une belle gerbe de fleurs à ma mère. Je l'ai mise de mauvaise humeur, l'autre jour — oh, entièrement par ma faute, bien sûr — et je voudrais faire amende honorable. Je me suis dit que vous sauriez peut-être quelles fleurs elle préfère. Je sais que cela paraît idiot, mais je serais incapable de le dire, moi-même.

Ses yeux avaient pris un air admiratif, flatteur, pour regarder Jill. La jeune fille se disait que l'une ou l'autre de ses sœurs aurait parfaitement pu le renseigner.

— Je crois qu'elle aime bien les œillets, dit-elle.

Il se percha sur le bord du bureau, les yeux fixés sur la chevelure de la jeune fille.

— Mais elle en a en quantité dans le jardin ! protesta-t-il. Je pensais à un vrai bouquet de fleuriste, dans la cellophane, avec un beau ruban.

— J'ai remarqué de très beaux chrysanthèmes chez Brimelow, dans la grand-rue, dit Jill. Des fleurs somptueuses... mais très chères.

— Rien n'est trop cher pour ma mère, répliqua-t-il gravement. Oui, je connais ce magasin. Voudriez-vous m'y accompagner au moment du déjeuner, pour m'aider à les choisir ?

— Pourquoi ? demanda-t-elle en le regardant bien en face. Vous connaissez la grand-rue, n'est-ce pas ? Vous n'allez pas me raconter que vous êtes incapable de choisir quelques fleurs ?

Elle le défiait ! Rien n'excitait plus Mathieu que d'être défié. Automatiquement, il sentit son sang courir plus vite. Elle avait de la répartie, cette petite, et il aimait cent fois mieux cela. Et le fait qu'elle était la chasse gardée de Terry — c'était du moins ce que disait Terry — ajoutait du piment à l'affaire.

— J'espérais parvenir à vous persuader de venir déjeuner avec moi.

— Alors, pourquoi ne le disiez-vous pas franchement ?

— Parce que Terry affirme que vous lui appartenez, répondit-il.

Ce fut au tour de Jill de sentir son sang courir plus vite dans ses veines. Terry avait-il vraiment dit cela ?

— Est-ce vrai ? ajouta-t-il.

— Bien sûr.

Sa voix avait légèrement tremblé et elle souriait à nouveau. Mais Mathieu ne pouvait pas se douter du baume qu'il lui avait mis au cœur par ce qu'il venait de lui dire et il prit son allégresse soudaine pour une invite, en dépit de ce qu'elle avait dit.

— Je veux bien que vous veniez avec moi pour déjeuner, Mathieu, dit-elle. Mais je vous préviens que l'endroit où je vais n'a rien de particulièrement élégant et que je me contente la plupart du temps d'un sandwich et d'une tasse de café.

— Cela me va tout à fait. Du moment que vous y serez, d'ailleurs, l'endroit ne saurait me paraître qu'élégant, ajouta-t-il, d'un ton câlin, qui lui fit presque regretter d'avoir accepté.

Mais, après tout, c'était le frère de Terry. Elle déjeunait souvent avec Sylvia ou avec Rose. C'était un peu la même chose.

— Mathieu ! cria soudain la voix irritée de John. Où diable es-tu passé ?

— Allons, bon ! soupira Mathieu, descendant du bureau. J'entends mon seigneur et maître. Il est sur le sentier de la guerre. Il faut que je me sauve. A une heure ?

— Où diable étais-tu passé ? demanda John, qui apparut à la porte du bureau.

Il était rouge de colère, ce qui lui arrivait rarement.

— J'étais simplement venu dire deux mots à Jill, répondit Mathieu, d'un air innocent. Il y a quelque chose qui ne va pas ?

— Tu le demandes, alors que tu as abandonné Sam sans raison avec l'essieu qu'il était en train de remonter ! A l'avenir, tu me feras le plaisir d'attendre d'avoir achevé le travail avant de disparaître dans la nature !

Mathieu bouillait intérieurement de s'entendre réprimander ainsi, mais ce fut sur un ton de contrition qu'il répondit :

— Désolé, John. Ah, vous êtes là, Sam ? Excusez-moi de vous avoir laissé tomber. Montrez-moi ce que vous voulez que je fasse.

Il travailla dur pendant tout le reste de la matinée, obéissant avec intelligence, conscient à

nouveau de son extraordinaire bonne fortune, ayant
même un peu honte : car, cet après-midi même,
John et lui devaient aller donner un coup d'œil à
une voiture d'occasion que John, s'il la trouvait
convenable, achèterait, règlerait à la perfection et
mettrait à la disposition de Mathieu, maintenant
qu'il avait passé son permis de conduire.

Mais, pour le moment, ce à quoi Mathieu songeait surtout, c'était à son rendez-vous avec Jill, à
la petite demi-heure qu'il avait obtenue de la
jeune fille. Non seulement cette fille l'attirait, mais
elle appartenait à Terry, et tout ce qui appartenait
à quelqu'un d'autre avait toujours eu un attrait
spécial pour Mathieu.

Il apaisait sa conscience en se trouvant une ex-
cuse inconsistante : « Je suis comme ça... »

CHAPITRE V

L'incendie de l'hôtel Excelsior avait été relaté dans tous les quotidiens. On en parla pendant deux jours.

Quinze jours plus tard, tout le monde l'avait oublié, à l'exception des habitants de Chyndford, de la compagnie d'assurance, et du malheureux propriétaire de l'hôtel, à qui cette histoire valait bien des insomnies.

Lydia respirait plus librement et regrettait de s'être emportée contre Mathieu, puisque aucune calamité ne paraissait devoir s'en suivre. Elle s'efforçait de se montrer calme et elle traitait les siens avec une délicatesse attentive dont tous savaient qu'elle ne pourrait pas durer bien longtemps.

Mais, tandis que Mathieu se donnait du bon temps en déjeunant avec Jill, puis en se rendant avec elle chez le fleuriste, bien loin de là, dans un entrepôt de Londres, un homme assis à même le sol poussiéreux terminait un frugal casse-croûte en jetant un coup d'œil distrait sur de vieux journaux qu'il s'apprêtait à rassembler pour les mettre à la disposition du ramasseur.

Il s'appelait Charlie Coram. Il approchait de la cinquantaine. C'était un voleur professionnel qui n'était jamais arrivé à rien de bon. Il venait de purger une peine de six mois de prison pour vol avec effraction dans un magasin de vins et spiritueux.

Pour le moment, il lui était venu en tête de se conduire en honnête homme, provisoirement du moins et faute de mieux. Il avait donc accepté un emploi que lui avait procuré une association qui s'occupait de la réintégration des anciens détenus, et il était devenu homme à tout faire dans un entrepôt. « Tout faire », cela représentait pas mal de corvées et de nettoyages, et Charlie commençait à en avoir assez.

Il alluma une cigarette, ramassa un autre journal et, brusquement, fronça les sourcils. Au milieu de la page, une photo s'étalait : celle d'un beau jeune homme, assis dans un lit d'hôpital.

Charlie en resta bouche bée. Il lut la légende : « *Mathieu Woodley se remet à l'hôpital de Chyndford après l'incendie de l'hôtel Excelsior ; il déclare qu'il cherchait l'issue de secours quand il est tombé avec le jeune serveur espagnol...* »

Charlie ne lut pas plus loin. Il revint à la photo et la regarda fixement.

« Saperlipopette ! » grommela-t-il, incrédule.

Ce visage-là lui était extraordinairement familier ; il l'avait beaucoup vu dans un passé récent. Pourtant, il devait se tromper, puisque le nom ne correspondait pas à celui qu'il connaissait, enfin, entièrement.

« Ces maudites photos ! » bougonna-t-il.

Il jeta le journal. Puis, se ravisant, il le reprit, déchira la photographie et l'article et les mit dans sa poche.

Le même soir, dans la solitude de sa petite chambre sinistre, il relut l'article et réexamina la photo. Cette ressemblance était vraiment incroyable. Si seulement le nom avait été celui qu'il connaissait, cela aurait pu être intéressant pour lui.

Il lui fallut un certain temps pour se rendre compte que c'était justement parce que le nom ne correspondait pas qu'il était peut-être tombé sur un filon.

Sans se donner la peine de prévenir qui que ce soit, il décida d'abandonner son emploi sur-le-champ. Dès le lendemain matin, il faisait de l'auto-stop dans la banlieue londonienne et trouvait un camion qui accepta de l'emmener vers le nord.

Mathieu ne put résister à l'envie malicieuse de dire à Terry qu'il avait déjeuné avec Jill. Il apaisait sa conscience pervertie en cherchant à se persuader que ce n'était là que de la taquinerie comme il peut y en avoir entre frères.

Il le fit le soir-même, après le dîner, à un moment où ils étaient tous les trois seuls dans la salle de séjour, sa mère, Terry et lui. Lydia était allée regarder de près le beau bouquet qu'il lui avait acheté et qu'elle avait placé dans un de ses vases préférés.

— Jill m'a accompagné chez le fleuriste pour

les choisir, annonça-t-il avec une négligence affec-
tée. Nous en avons profité pour aller manger quelque chose ensemble dans un café voisin.

Un silence tomba, un silence très lourd. Il regretta immédiatement ce qu'il avait fait, mais il
n'était pas homme à avoir longtemps des remords.

D'ailleurs, la journée avait été excellente pour
lui, d'un bout à l'autre. Il avait eu Jill pour lui
tout seul à déjeuner et il avait paradé devant elle.
Puis, l'après-midi, il était allé acheter une voiture
en compagnie de John, une voiture qui ne payait
pas de mine mais dont son beau-frère s'était assuré
qu'il pourrait lui rendre une nouvelle jeunesse.

Il fit semblant de ne pas remarquer l'atmosphère
orageuse que sa remarque avait provoquée, et le
silence de Terry. Il se leva, sourit et déclara gaiement :

— Je crois que je vais aller m'offrir une chope
à l'auberge de la Couronne. Tu viens, Terry ?

— Non, répliqua Terry.

Mathieu s'en alla, avec l'air de quelqu'un qui
s'enfuit, et ce fut heureux pour lui, car Lydia était
dans une crise de fureur extraordinaire, une fureur
dont elle ne savait pas trop elle-même contre qui
elle était dirigée : Mathieu, Terry ou Jill.

— Maman ! explosa soudain Terry. Je...

— C'est bon, je sais ce que tu vas dire ! coupa
Lydia. C'est entendu, Mathieu n'avait pas le droit
de...

— Veux-tu te donner la peine de m'écouter,
pour une fois ? Il avait tous les droits ! Jill est
parfaitement libre d'aller où elle veut, quand elle
veut, avec qui elle veut. Et pourquoi est-elle libre ?

Parce que je ne lui ai jamais demandé de m'épouser !
Et pourquoi ne l'ai-je pas fait ? Tu sais pourquoi,
maman ! A cause de lui, et à cause de toi, et
parce que..., parce que je déteste les tromperies, les
mensonges et les faux noms.

Du coup, Lydia reprit son calme, un calme terrible. Cette fois, elle était sur ses gardes.

— Ce n'est pas un faux nom, répliqua-t-elle.
C'était le nom de mon père, et maintenant c'est le
tien. Tout a été fait régulièrement, par l'entremise
d'hommes de loi, avec l'agrément de l'état-civil, la
chancellerie et je ne sais quoi encore. Tu sais très
bien pourquoi il m'a fallu faire cela. Ton pauvre
père l'aurait bien compris, Dieu le bénisse ! Alors,
pourquoi faire ta mauvaise tête ? Woodley n'est
pas un faux nom ! Il m'appartenait. Je l'ai repris
et je vous l'ai donné, à Mathieu comme à toi.
Cela a toujours été un nom bien porté et nous le
garderons intact. Pourquoi ramènes-tu cette question
sur le tapis ?

— Parce que je ne peux pas épouser Jill tant
qu'il y aura des secrets entre nous, répondit-il,
têtu. Excuse-moi, maman, mais, pour moi, cela reste
un faux nom. Tout ce que je veux, c'est que Jill
sache la vérité, Jill, rien qu'elle. Je me rappelle bien
tout, je te prie de le croire ! Je me rappelle que tu
nous as fait jurer à tous de ne jamais révéler notre
véritable nom de Hannen. Tu l'as même fait jurer à
Rose et à Sylvia, bien que cela n'ait eu aucune
importance pour elles, puisqu'elles étaient déjà ma-
riées. C'était bien calculé pour Mathieu, n'est-ce
pas ? Tout était prêt pour sa sortie de prison. Un
nouveau nom l'attendait, une nouvelle identité, une

nouvelle vie. Tout cela à son bénéfice. Je n'étais encore qu'un gosse, à l'époque, et j'avais aussi peur que vous autres, mais...

— Non ! se récria Lydia. C'était pour notre bénéfice à tous !

Elle regrettait de ne pas pouvoir lui parler de ces menaces qu'elle avait reçues, de cette dernière menace, surtout, qui l'avait déterminée à prendre un parti radical, mais qui continuait à être son cauchemar, comme si l'incident ne s'était produit qu'hier.

— Oui, bon, je veux bien, dit-il. Mais je ne suis plus un enfant, un enfant qui a dû quitter l'école parce qu'il ne pouvait pas supporter les ricanements des autres. J'ai vingt-cinq ans et je veux épouser Jill. Seulement, je veux que ce soit un mariage convenable, un mariage comme celui de Rose et de John, ou celui de Sylvia et de Peter. Ou le tien avec papa. Que nous formions un véritable couple, comme vous en formiez un. Il n'y avait pas de secrets entre vous ! Rien de caché ! Tu vois, maman, vous nous avez offert un modèle, et je persiste à croire que c'était un bon modèle. Comment puis-je espérer former un vrai couple avec Jill si notre union est fondée sur un mensonge, au départ ?

Lydia avait toujours su que cette réaction se produirait un jour. Elle avait elle-même fermé les yeux, elle avait refusé d'imaginer cette éventualité. L'ennui, chez Terry, c'est qu'il était trop honnête, trop franc, à l'inverse de son frère Mathieu. « Tu récolteras ce que tu as semé », pensa-t-elle.

Pourtant, elle avait semé avec précaution, atten-

tivement, et elle avait soigné ses semis avec vigi-
lance. La récolte ne pouvait être que bonne.

Elle pria le Ciel de lui inspirer les mots oppor-
tuns, les paroles de réconfort. Mais, immédiatement,
une question se posa à elle : « Lequel de tes enfants aimes-tu le plus ? » Et la réponse vint, ins-
tantanée : « Celui que j'aime le plus, c'est celui
qui a le plus besoin de moi, à tout moment. »

Pour le moment, c'était Terry qui avait le plus
besoin d'elle, et c'était lui qu'elle aimait le plus.
Mais elle ne le libérerait pas de sa promesse.

Elle choisit ses mots avec soin, sans prendre garde
qu'ils étaient en contradiction avec ce qu'elle avait
pu donner à penser jusque-là.

— Jill est une jeune fille charmante, Terry, et
je ne sais pas comment je me débrouillerai sans elle
au bureau. Rien ne me plairait plus que de l'avoir
comme belle-fille. Peut-être n'ai-je pas toujours été
très gentille avec elle, mais c'était parce que je savais
que vous étiez amoureux l'un de l'autre... J'espérais
que cela passerait... Vois-tu, elle est différente de
nous. Cette tante qu'elle a, qui se donne toujours de
grands airs à cause de sa famille... Cette maison
dans laquelle elles vivent... Cette église pleine de
souvenirs de tous les anciens Pagett. Et...

— Exactement, dit-il. Mais Jill aime sa tante
autant que je t'aime, et c'est une raison supplémentaire pour que je...

— Mais, voyons, coupa-t-elle vivement, ce qui
vous importe, après tout, c'est vous, vous deux ?
Tu parlais de ton père. C'est le seul homme que
j'aie jamais aimé, le seul que j'aie jamais eu envie

d'épouser. Et si, avant ou après notre mariage,
j'avais découvert qu'il y avait eu je ne sais quel
scandale horrible dans sa famille, obligeant à changer de nom, cela m'aurait été bien égal, parce que
c'était lui que j'épousais, et non sa famille ou ses
ancêtres !

Elle s'arrêta net, s'apercevant trop tard que ce
qu'elle venait de dire plaidait en faveur de la thèse
de Terry et renforçait ses raisons de dire la vérité
à Jill. Pourtant, Terry paraissait hésitant.

— Pourquoi lui donner des émotions inutiles ?
reprit-elle. Si elle t'aime comme tu le mérites, elle
se moquera bien de ses beaux ancêtres ! Ou des
tiens ! Prends ce que tu peux pendant que tu le
peux, car tu ne sais pas ce que demain te réserve.
Ecoute, nous avons passé le plus mauvais cap.
Oublie la façon stupide dont Mathieu s'est conduit
avec Jill. Je ne crois pas qu'il se rende bien compte
de la situation qui existe entre Jill et toi. De toute
façon, il ne risque pas d'aller bien loin avec elle.
Jill me ressemble beaucoup, par certains côtés. Elle
sait reconnaître ce qui est bon, et c'est toi qu'elle
veut. Oublie tout le reste !

Terry ouvrit la bouche, puis la referma sans
avoir dit un mot, et Lydia sut qu'elle avait gagné,
comme d'habitude. Dans un élan exceptionnel de
tendresse, elle se pencha vers lui et l'embrassa.

— Ne lui dis rien, mon chéri. Je ne pourrais
pas le supporter.

Il sourit tristement et pressa la main de sa mère.

Elle avait gagné. Une fois encore.

*
**

— Bien sûr, que je t'épouserai, répondit Jill,
franchement, quand il lui posa la question. Je
finissais par croire que tu ne me le demanderais
jamais, par me dire que je devrais peut-être te le
demander moi-même.

Elle se haussa sur la pointe des pieds pour
l'embrasser à nouveau.

Ils étaient assis dans la voiture de Terry, garée
à leur place favorite, dans le petit sentier romantique
où ils venaient si souvent passer de longs moments,
dans les bras l'un de l'autre, à s'embrasser. En cet
endroit où Jill avait fini par sentir que sa patience
ne serait pas éternelle.

— Tu l'aurais fait, vraiment ? demanda Terry,
au bout d'un moment. Tu aurais fait les premiers
pas ?

— Bien sûr ! Pourquoi pas ? En réalité, cela
fait des semaines que je fais les premiers pas. Mais
tu ne semblais même pas le remarquer. Ce soir-là,
quand nous sommes descendus au bord de la rivière, je t'aurais battu quand...

Elle s'interrompit. Rien de tout cela n'avait plus
d'importance, désormais. Elle ne voulait plus savoir
pourquoi et comment il avait été si long à se décider. Tout cela avait disparu, avec ses rancunes, sa
perplexité, ses frustations.

Lydia ne s'était pas trompée sur le compte de
Jill. Terry, perdu dans son bonheur nouveau, était
incapable de penser à quoi que ce soit d'autre qu'à
sa présence, à sa chaleur, à son parfum. Il finissait

par comprendre que Mathieu ait été attiré vers elle et il pardonnait à son frère.

En ce moment de félicité, il convint que sa mère avait raison. Pourquoi ruiner un présent aussi magnifique par l'évocation d'un passé sordide ?

Au bout d'un moment, Jill se redressa.

— Il vaut mieux que je te prévienne, Terry, dit-elle. Tante Hester est terriblement conformiste.

— Ça, je le sais ! répondit Terry, ramenant la tête de la jeune fille contre son épaule.

— J'obéis à ses caprices parce que cela la rend heureuse et qu'au fond il ne m'en coûte guère. Mais, vois-tu, je suis persuadée, qu'elle a des idées bien précises sur la façon dont je dois me marier : en blanc, dans la vieille église, avec tout le cérémonial traditionnel.

Elle se garda bien d'ajouter que, dans l'idée de tante Hester, ce n'était pas avec Terry qu'elle devait se marier. Terry était bien le dernier de ceux qu'Hester eût soufaité voir sa nièce épouser.

— Je dirai oui à tout ce que tu voudras, répondit Terry.

Il pensait à la vieille église, si ancienne et si belle, dont sa mère déclarait qu'elle la faisait frissonner, et où des générations de Pagett avaient été mariés, baptisés et enterrés.

— Je me demande ce que ta mère dira ? demanda Jill, rêveusement.

— Elle sera ravie. Elle a beaucoup de considération pour toi.

« Mais de bien étranges façons de le montrer », pensa Jill...

Comme il fallait s'y attendre, Hester Pagett ca-

cha son chagrin et son amertume. Quand Terry
vint lui annoncer cérémonieusement que Jill et lui
voulaient se marier, elle répondit avec une bonne
grâce charmante qui conquit le cœur de Terry, mais
qui ne trompa pas Jill. Comme celle-ci l'avait prévu,
elle demanda s'ils comptaient se marier dans la vieille
église. Ayant reçu l'assurance que telle était bien
leur intention, elle se mit immédiatement en devoir
de rédiger une petite notice de faire-part pour les
journaux.

Personne n'aurait pu se douter qu'elle n'avait
guère l'esprit à ce qu'elle faisait et qu'elle était en
proie à une déception cuisante.

Lydia, prévenue par son fils, embrassa Jill ma-
ladroitement, lui tapota l'épaule, et déclara :

— J'espère que vous n'allez pas me donner votre
démission pour autant ? Vous accepterez bien de
continuer à travailler auprès de moi ?

— Je n'ai pas l'intention de vous quitter pour
le moment, madame ; je pourrais même vous demander une augmentation, répliqua Jill avec une
effronterie cocasse qui fit rire Lydia.

Mathieu devinait que c'était son manège pour
conquérir Jill qui avait précipité ces fiançailles. Sans
rancune, il embrassa sa future belle-sœur.

— Mes meilleurs vœux, Jill ! dit-il. Et à toi
aussi, Terry !

Et il le disait avec une parfaite sincérité... mo-
mentanée.

Les sœurs de Terry, Rose et Sylvia, ne cachè-
rent pas leur plaisir. Elles aimaient beaucoup Jill,
et l'admiraient, même. Elles pensèrent immédiate-

ment à organiser une petite fête chez leur mère, pour les fiançailles, et Lydia, pressée par elles, accepta.

C'est dans ces conditions qu'Hester Pagett, qui se considérait un peu comme une aristocrate, pénétra dans la maison de celle qu'elle avait désignée pendant des années par l'expression : « cette femme... »

Elle se trouva dans une maison moderne, de proportions assez modestes, meublée avec goût, confortable. Elle y fut accueillie par des gens qui lui parurent nombreux et qui n'étaient autres pourtant que les enfants et les gendres de Lydia. Son hôtesse, qu'elle n'avait rencontrée jusque-là que par hasard et qu'elle avait toujours vue habillée peu élégamment, était cette fois fort joliment vêtue d'une robe longue, et sa coiffure était parfaite. Hester serra la main de Lydia et s'efforça de ne pas prendre avec elle des airs trop protecteurs.

Peter et Sylvia Clark lui firent la conversation. Ils l'entretinrent d'une idée qu'ils avaient eue d'une fête enfantine d'été, à l'occasion de laquelle on pourrait organiser un gymkhana à dos de poney. Comme Hester Pagett faisait partie du Comité des œuvres sociales de Chyndford, elle trouva l'idée intéressante. Bientôt, sous l'influence de l'excellent sherry que Peter lui avait servi, elle finit par reconnaître, un peu malgré elle, que les enfants Woodley étaient des jeunes gens sympathiques. Cette reconnaissance n'allait pas jusqu'à lui faire oublier leur manque de classe, la façon mystérieuse dont ils étaient arrivés à Chyndford, dix ans plus tôt, et les conditions dans lesquelles ils avaient tous vécu dans cet horrible chantier.

Bien qu'elle fût elle-même excellente cuisinière, elle ne put rien trouver à redire au dîner. Elle était assise en face de Mathieu. C'était, en fait, la première fois qu'elle le voyait. Elle tomba immédiatement sous son charme et, encadrée par Peter et Sylvia Clark, abreuvée d'excellents vins, elle en oublia presque ses préventions. Elle se rappelait, non seulement que Mathieu avait presque été présenté comme un héros dans les journaux lors de l'incendie, mais qu'on avait dit aussi qu'il avait occupé un poste administratif en Australie.

— Dites-moi, Mathieu, demanda-t-elle. J'ai déjà questionné Terry, mais il n'a pas pu me renseigner... Avez-vous rencontré le consul de Grande-Bretagne, pendant votre séjour en Australie ?

Un petit silence tomba. Heureusement, Mathieu ne se démonta pas.

— Hélas, non ! mademoiselle Pagett, répondit-il d'une voix humble, mais avec un charmant sourire rehaussé par l'expression de ses beaux yeux clairs. Je n'ai pas eu cette chance. En fait, je ne suis jamais monté très haut dans la hiérarchie administrative. J'étais un peu le bureaucrate bon à tout faire, celui à qui on s'adressait toujours pour aller inspecter les entrepôts de laine et les conserveries.

— Envisagez-vous de retourner à Perth ? demanda Hester.

Il hocha négativement la tête.

— Non. Trop, c'est trop. Je ne demande plus qu'à faire ma vie ici auprès des miens, à contribuer

à la prospérité de l'entreprise familiale, et peut-être
à me trouver un jour une fiancée ravissante, moi
aussi, après Terry...

Il termina sa tirade en levant son verre en direction de Jill, d'un geste galant.

Peter, qui avait suivi cette conversation avec
une certaine appréhension, compta rapidement jusqu'à dix, puis se pencha vers sa voisine.

— Un peu de vin, mademoiselle Pagett ? pro-
posa-t-il. Comment le trouvez-vous ? Pas trop sec
pour votre goût, j'espère ?

Les vins étaient, réellement, remarquables. Hester Pagett oublia ce qu'elle avait été sur le point de
dire à propos du consul de Grande-Bretagne à Perth
et se lança dans une grande conversation sur les
vins.

— Je suis morte de fatigue, soupira Lydia quand
la soirée fut terminée et que Terry fut parti rac-
compagner Jill et sa tante.

Ses deux filles et leurs maris étaient aussi ren-
trés chez eux et elle se trouvait seule avec Mathieu.

— J'ai un terrible mal de tête, grommela-t-elle.
Je n'ai pas l'habitude de faire des manières comme
cela, c'est un fait. Et je me demande bien qui peut y
trouver de l'agrément. Et ce n'étaient là que les
fiançailles, que sera le mariage, je me le demande ?

Elle soupira puis fit une grimace.

— Et qu'est-ce que c'était donc que cette histoire
du consul de Grande-Bretagne à Perth ? J'ai cru que
j'allais avoir une crise cardiaque.

— Ne me le demande pas, répondit Mathieu. Je
n'y ai rien compris moi-même.

— Ça ne fait rien, tu t'en es bien tiré. Nous nous en sommes tous bien tirés, je crois. Je persiste à croire que toutes ces cérémonies étaient bien inutiles, mais enfin... Veux-tu aller me chercher deux cachets d'aspirine, mon petit ? Dans le tiroir de la cuisine... Donne-moi un verre d'eau, en même temps, et puis je monterai me coucher.

Mathieu apporta ce que sa mère désirait. Une fois au lit, Lydia sentit s'apaiser la tension dans laquelle elle avait vécu depuis le début de la soirée. Elle était soulagée. Finalement, les craintes terribles qu'elles avait eues après l'incendie ne s'étaient pas matérialisées. Elle n'avait vu apparaître aucun vengeur surgi du passé, réclamant la vie de Mathieu en échange de celle que le jeune homme avait prise. Terry était fiancé à la jeune fille qu'il aimait. Les fiançailles s'étaient heureusement déroulées. Lydia osait presque espérer maintenant qu'elle pourrait finir par oublier le passé et que toutes les peines qu'elle avait prises pour assurer le bonheur et la sécurité des siens allaient enfin porter leur fruit.

Au rez-de-chaussée, Mathieu s'installa dans la salle de séjour pour attendre de retour de Terry. Il était fier de lui. Il avait bonne conscience et considérait qu'il avait vraiment fait honneur à sa famille. Pas une seule fois, en regardant le bonheur radieux de Jill, il n'avait ressenti la moindre jalousie envers son frère.

C'était un garçon qui pouvait changer d'amour comme de chemise. Il y avait quantité d'autres filles que Jill. Et aucune d'elles, à son avis, ne valait la peine qu'il compromette pour elle le sort inespéré que les siens lui avaient préparé.

∴

Charlie Coram avait voyagé par étapes succes-
sives, au gré des camions complaisants qu'il trouvait. Il finit par arriver à Chyndford et trouva que
le village était vraiment ridicule, comparé à Londres.
Cela ne l'empêcha pas cependant de découvrir certains avantages. Plus l'étang est petit, plus on
trouve facilement le poisson, dit le proverbe. D'après
ce qu'il avait cru comprendre à la lecture de cet
article, Mathieu Woodley devait être un assez gros
poisson, dans la mare de Chyndford. Sinon lui, du
moins sa famille.

D'ailleurs, quand il pensait au temps qu'il avait
passé avec lui, il se disait que Mathieu avait compté
parmi les gros poissons déjà dans cette prison où
il y avait peu de criminels pour beaucoup de délin-
quants mineurs. Charlie avait passé de nombreuses
années de sa vie en prison, à un moment ou à un
autre. De tous ceux qu'il avait fréquentés dans ces
divers établissements, Mathieu était le seul à avoir
tué.

Fréquenté, du reste, c'était beaucoup dire. Mathieu l'avait toujours considéré de haut. Non seulement il ne s'était jamais montré aimable à son égard,
mais il l'avait carrément remis à sa place à deux
ou trois reprises d'une façon que Charlie n'avait
pas oubliée.

Dès son arrivée à Chyndford, Charlie se trouva
un logement dans une petite bicoque située au
cœur du vieux village. Il eut là un coup de chance
comme il en avait rarement connu.

Sa logeuse, Mme Taylor, était une veuve honnête,

sérieuse, dure au travail, qui louait une chambre
d'amis à des locataires occasionnels. Elle connaissait
tout et tout le monde, à Chyndford, et elle adorait
les commérages. Charlie n'eut qu'à parler incidem-
ment de l'incendie de l'hôtel Excelsior pour la
faire démarrer sur ce sujet qu'elle affectionnait
d'autant plus qu'elle avait failli elle-même être impliquée dans le sinistre. Elle travaillait en effet à
temps partiel dans les cuisines de l'hôtel et elle
n'avait guère quitté les lieux qu'une heure avant le
moment où l'incendie s'était déclaré.

Avec l'incendie, elle avait perdu son emploi à
l'Excelsior ; mais elle en avait retrouvé un autre
à temps partiel à l'auberge de la Couronne. C'était
un pub classique, à l'ancienne, que fréquentaient
notamment « les gens de la haute », comme elle
les appelait. Ce fut elle-même qui parla la première de Mathieu Woodley, qui y venait pour
boire une chope de bière et bavarder avec des
amis. Son frère Terry l'accompagnait parfois, ce
Terry qui venait justement de se fiancer avec Jill
Pagett.

Les renseignements tombaient dans l'oreille de
Charlie, qui écoutait, fasciné. Tout marchait fort
bien pour le bon Charlie, qui prenait bien garde de
se montrer sous son meilleur jour, car Mme Taylor
n'aurait pas accepté que ses pensionnaires mènent
une vie dissolue. Il se trouva un petit emploi de
porteur dans un supermarché, résista à la tentation de faire main basse de temps à autre sur les
marchandises qui lui passaient par les mains, se
hâtait de rentrer chez Mme Taylor, dès son travail
terminé, pour écouter ses bavardages intarissables

tout en savourant sa cuisine rustique, qui le changeait agréablement de ses sandwiches londoniens.

Il ne lui fallut pas longtemps pour savoir tout
ce qu'il y avait à savoir sur Mathieu Woodley et
sur sa famille. Il nota la progression continue des
Woodley dans l'échelle sociale et leurs revenus certains. Il enregistrait les moindres détails. Il lui suffisait de mettre sa logeuse sur la voie pour l'inciter
à recommencer toutes ses explications. Il savait que
Mathieu venait de rentrer d'Australie, où il avait
occupé un poste dans l'administration.

Quand il eut bien glané tous ces renseignements,
Charlie se mit à fréquenter « la Couronne », lui
aussi. Il y allait seulement le soir, prenait garde
de s'y tenir correctement, s'installait dans un coin
avec son verre et se contentait de regarder et
d'écouter.

Sa patience fut récompensée. Mathieu vint à
« la Couronne », un soir. Il était seul. Il prit un
demi et plaisanta beaucoup avec d'autres consom-
mateurs. Charlie regardait, sans se montrer. Oui,
c'était bien Mathieu Hannen ! Toujours aussi beau,
malin, sûr de lui, bien habillé. Il avait une montre
en or au poignet. Vilaine graine d'assassin ! pensa
Charlie, vertueusement.

Et, quand Mathieu quitta la Couronne, Charlie
sortit derrière lui.

Mathieu avait laissé sa voiture dans une rue
latérale. Charlie le rattrapa au moment où le jeune
homme était sur le point d'y monter.

— Bonsoir, Mathieu ! dit-il, avec un petit sourire furtif.

Mathieu le regarda fixement. Il ne reconnut pas

Charlie tout de suite, bien que ce visage lui rappelât vaguement quelque chose.

— Bonsoir, monsieur ! répéta Charlie, qui avait réussi à donner un caractère suprêmement insultant à ces mots anodins.

Cette fois, Mathieu l'avait reconnu. Instantanément, la terreur irraisonnée de la bête prise au piège, cette terreur qui lui avait fait perdre la tête lorsque, il y avait maintenant plus de dix ans de cela, le vieux veilleur de nuit l'avait surpris en train de piller l'entrepôt, s'empara de lui. Il se maîtrisa, mais Charlie ne sut pas la chance qu'il avait eue que Mathieu n'eût pas d'arme en main à ce moment.

— J'ai pensé que tu pourrais au moins avoir un mot pour une vieille connaissance, dit Charlie.

— J'en ai un : bonsoir ! répliqua froidement Mathieu, qui se retourna vers sa voiture.

— Allons, Mathieu ! Est-ce que c'est des façons de se conduire ? Monsieur Woodley... Mais je devrais dire plutôt monsieur Hannen, n'est-ce pas ?

Mathieu rougit et fronça les sourcils.

— Que veux-tu ?

— Voilà qui est mieux. Ce n'est pas encore très élégant, mais enfin, c'est plus aimable. Ce que je veux ? Eh bien, disons, un petit bout de conversation, simplement, à propos du bon vieux temps.

Mathieu jeta un regard autour de lui.

— Monte ! dit-il sèchement, désignant le siège du passager d'un mouvement de tête.

Charlie laissa échapper un petit rire.

— « Monte ! » Comme si j'étais assez bête pour ça ! Monter dans une voiture avec toi ? Pas de risque !

Mathieu avait pâli étrangement.

— Alors, que veux-tu ? De l'argent ? demanda-t-il.

— Ma foi, pour commencer, oui, dit Charlie, qui ne savait pas encore très bien lui-même ce qu'il voulait, mais qui sentait qu'il était sur la bonne voie. Si bien qu'il suggéra cinquante livres ?

Mathieu ouvrit son portefeuille et tendit un billet.

— Tiens, dit-il. Voici cinq livres. Et va-t'en !

Charlie regarda le billet et ricana. La fierté aurait dû lui commander de refuser cette aumône, mais il n'avait aucune fierté. Il prit le billet.

— C'est une jolie montre que tu as là, remarqua-t-il, à tout hasard.

Mathieu pâlit encore davantage. C'était une montre en or, qui valait cher. Sa mère, qui exprimait ses sentiments plus facilement par des gestes que par des mots, la lui avait donnée comme une preuve de sa confiance. Et elle avait fait graver, au dos : « A Mathieu, maman ».

Brusquement, en se rappelant cette inscription, Mathieu se sentit devenir calme comme un roc, comme si ce souvenir lui donnait de la force. Il regarda Charlie bien en face et réussit même à esquisser un semblant de sourire. Au fond, il ne valait pas mieux que lui.

— Rien à faire ! dit-il. Alors, c'est du chantage ?

— Quel vilain mot ! protesta Charlie, dont le ton s'était fait pleurnichard.

— Tu as raison, ce n'est pas un joli mot, et ce n'est pas une jolie chose non plus. Mais, pour une

fois, je vais marcher. Tu m'as demandé cinquante
livres, mais je n'ai pas cinquante livres sur moi. Je
vais te faire une offre. Je te donnerai cent livres, à
condition que tu ne reviennes jamais. Je ne sais
pas ce que tu fais à Chyndford et je ne veux pas
le savoir, mais il va falloir que tu t'en ailles. Car,
si jamais mes yeux tombent à nouveau sur toi, ou
si tu oses m'adresser la parole, à moi ou à quelque autre membre de ma famille, j'appellerai la
police. Je t'accuserai de vouloir me faire chanter et
je leur dirai exactement pourquoi. Je t'accuserai
aussi d'avoir volé ma montre. Tu n'es pas seul à
pouvoir jouer ce jeu-là, Charlie, et j'ai appris pas
mal de choses dans ce joli petit endroit où nous
avons fait connaissance.

Mathieu se sentit pris d'une rage soudaine. Il
partit d'un rire amer.

— Je saurai éventuellement me débrouiller pour
que ma montre soit retrouvée dans tes affaires, sinon
sur toi-même, conclut-il.

Charlie était stupéfait. Il ne s'était pas attendu
à voir cette vermine lui tenir tête. Devant cette
manifestation de force, sa nature abjecte reprit le
dessus.

— Tu... Vous m'avez mal compris, monsieur...

— Woodley !

— C'est ça, monsieur Woodley. Ecoutez, je suis
plutôt dans une mauvaise passe. C'est pour ça que
j'ai pensé pouvoir m'adresser à vous. Je me suis
dit qu'en souvenir du bon vieux temps tu pourrais
me donner un coup de main et que...

— Assez ! coupa Mathieu, dont le ton était me-
naçant. Il n'y a pas de souvenirs du vieux temps entre

toi et moi. Tu peux me causer des ennuis, mais je peux t'en faire bien davantage. Je te répète mon offre. Il n'y a pas à marchander. Cent livres, ce n'est pas à dédaigner. Si tu les veux, viens me trouver... disons, vendredi soir, à cette heure-ci, à Crossed Keys. Si tu ne sais pas où c'est, renseigne-toi d'ici là. Charlie, prends ta valise avec toi, parce que, je te préviens, tu partiras immédiatement. Je te conduirai à Chester et je te prendrai un billet pour Londres. Un aller simple. Tu prendras le train de neuf heures.

Il n'attendit pas la réponse de Charlie. Il monta en voiture et partit.

CHAPITRE VI

Mathieu avait eu grand tort de fixer son rendez-vous au vendredi. Cela donnait trois grands jours à Charlie pour se ressaisir, réfléchir à cette histoire, et se rendre compte qu'il avait été escroqué.

Cela lui donna aussi le temps d'aller jusqu'au chantier de l'entreprise Woodley et d'apprécier les possibilités de ces gens-là. Il avait cherché l'adresse de Lydia dans l'annuaire du téléphone et il avait été voir sa jolie maison. Il avait été même se renseigner sur le niveau de vie des Morris et des Clark. Et, pour finir, il était monté vers le vieux quartier et avait admiré Chimes Cottage, ce véritable trésor historique où habitait la fiancée de Terry, Jill Pagett.

Du coup, il reprenait confiance en lui et il ricanait. Cent livres, vraiment ! Pour quelqu'un qui voit menacée une situation aussi bien assise, c'était dérisoire.

Tout ce qu'il avait vu le persuadait qu'il avait plus de moyens d'actions contre les Woodley qu'il n'avait pu le supposer d'abord. Mais il fallait y aller doucement. Ne pas effaroucher l'adversaire. Commencer modestement, puis augmenter ses pré-

tentions. S'il jouait bien son jeu, il s'assurait une
rente à vie. Et à lui la belle existence !

Lorsque Charlie arriva à l'heure dite à Crossed Keys, le vendredi suivant, Mathieu ne s'y trouvait pas. Le jeune homme n'arriva que dix minutes
plus tard. Il apparut dans une voiture de sport
blanche, qu'il arrêta juste le temps d'ouvrir la
portière et de crier à Charlie :

— Monte !

Saisi d'un retour de la prudence innée qui lui
avait tout de même permis d'atteindre un certain
âge sans trop d'accidents, Charlie protesta :

— Non ! non ! Descends, toi ! Je ne tiens pas
à monter.

— Comme tu voudras, dit Mathieu, qui fit mine
de refermer la portière. Je ne vais pas attendre ici,
au milieu du carrefour, que tu te décides.

Charlie se mordit la lèvre et monta dans la
voiture. Mathieu embraya et la voiture fila. Elle
traversa un hameau minuscule où ils ne rencontrèrent pas âme qui vive, puis s'engagea immédiatement
dans un chemin désert qui filait à travers bois.

— C'est bon, dit Charlie, inquiet. Ça ira comme
ça. Arrête-toi ici.

Au contraire, Mathieu, accéléra.

— J'ai dit Chester, répliqua-t-il. Et le train de
neuf heures pour Londres. Ce chemin est un rac-
courci. A propos, où est ta valise ? Je t'avais dit de
l'apporter avec toi ?

— Je n'ai pas de valise. De toute façon, je ne
pars pas. J'ai réfléchi. J'ai à te parler. Alors, arrête-toi, veux-tu ? A moins que tu ne veuilles que je

commence à faire du tapage et que je te mette la police sur le dos.

— Tu peux faire autant de tapage que tu voudras, ricana Mathieu. Il n'y a pas de police par ici. Il n'y a personne. Quant à parler, je ne vois pas pourquoi nous parlerions. Rien de ce que tu peux dire ne m'intéresse.

Il leva le pied de l'accélérateur et la voiture ralentit, mais sans s'arrêter.

— Tu vois ce panneau, là-bas ? Lis-le et dis-moi ce qu'il y a d'écrit dessus !

— Chester, dit Charlie, boudeur.

— Exact. Maintenant, ouvre la boîte à gants, devant toi. Tu y verras une enveloppe. Prends-la.

Charlie obéit et retira de la boîte à gants une enveloppe cachetée.

— Il y a là-dedans vingt billets de cinq livres. Cent livres, exactement ce que je t'avais promis. Plus le billet de cinq livres que je t'ai donné l'autre soir, et l'aller simple pour Londres que je compte t'acheter. Après cela, nous nous séparerons et nous ne nous reverrons jamais. Compris ?

Charlie soupesa l'enveloppe un moment, puis la remit dans la boîte à gants.

— Non, Mathieu, dit-il. Ça ne va pas. J'ai une proposition à te faire, moi. A ton tour de m'écouter.

— Vas-y !

— Je ne suis pas méchant, et je ne veux pas te saigner aux quatre veines. Le malheur, c'est que je n'ai jamais eu de chance, dans la vie.

La voix de Charlie avait pris un ton pleurnichard.

— Je n'avais pas une bonne famille pour me soutenir, comme toi. Je n'avais personne, moi. Tu ne peux pas savoir ce que c'est. Voici ma proposition. Je veux un emploi dans l'entreprise de ta famille. C'est tout. Un emploi fixe, régulier, avec une paie correcte à la fin de chaque semaine...

Les yeux de Charlie se mouillèrent, tant il s'apitoyait sur son propre sort. Il croyait lui-même sincèrement ce qu'il disait, en ce moment.

— Un emploi, hein ? Pourquoi faire, Charlie ?

— N'importe quoi d'utile. J'ai entendu parler de votre entreprise et du genre de travail qu'elle fait. Je crois que je pourrais m'y caser facilement.

— Je vois. Tu veux du travail, simplement, un bon emploi, honnête, où l'on travaille dur.

Mathieu avait pris un ton intéressé. En fait, son cerveau fonctionnait à toute allure, froidement, impitoyablement, analysant toutes les données du problème.

Cette petite entreprise familiale, édifiée si patiemment, au prix de tant de labeur acharné et honnête, pour sortir les siens des difficultés qu'il leur avait lui-même causées...

Sa mère, inébranlable, dure, n'aimant pas les manifestations sentimentales, mais, en cet instant, plus belle et plus précieuse à ses yeux que qui que ce soit au monde. Ses sœurs, jolies, gentilles, heureuses avec leur mari, leurs enfants, leur existence paisible. Terry, qui se levait à six heures chaque matin pour aller débroussailler des terrains boueux et abattre des masures croulantes, Terry, qu'il avait jalousé et à qui il avait fait des misères...

Pour la première fois, Mathieu envisageait sa situation avec une humilité réelle. Cette fière petite entreprise familiale qui permettait aux siens de gar-

der la tête haute et de vivre sans devoir un sou à
personne, elle s'était déjà encombrée d'un passager
inutile : lui. Fallait-il la surcharger d'un autre para-
site ?

Mathieu réduisit encore sa vitesse. La voiture
avançait maintenant au pas.

— Un emploi, répéta-t-il. Tu sais, Charlie, c'est
un travail terriblement dur. Je suis moi-même impres-
sionné par la façon dont ils travaillent tous. Ma
mère comme les autres. Et puis, je m'y suis mis,
moi aussi.

Après tout, c'était vrai. John s'y entendait pour
faire marcher son monde. Mathieu se disait qu'il
avait bien gagné tout l'argent qu'avait coûté cette
voiture qu'il conduisait.

— Je peux apprendre, Mathieu, pleurnicha
Charlie. Je peux commencer tout en bas de l'échelle.
Il suffit qu'on me donne ma chance.

Mathieu hocha la tête.

— Tu es bien sûr que tu ne préférerais pas
prendre l'argent, et le train de Londres ?

— Je te l'ai dit. Je veux un emploi régulier et
une paie fixe. Et je me plais bien à Chyndford.

Mathieu soupira.

— Charlie, prends mes cigarettes et mon briquet
dans la poche de ma veste. Nous allons nous arrêter un moment et fumer un peu.

Pendant que Charlie prenait les cigarettes, Mathieu arrêta la voiture dans le chemin étroit enserré
dans les arbres. Il laissa pendre sa main droite
sous le siège.

Charlie était occupé avec les cigarettes et le
briquet.

— Charlie, dit Mathieu, acceptant une de ses propres cigarettes, je crois que j'ai joué franc jeu avec toi. Je t'ai donné toutes tes chances. Je ne peux pas aller au-delà de l'offre que je t'ai faite.

Charlie s'apprêtait à allumer sa cigarette avec un briquet dont il remarquait au passage qu'il était en or. Une sorte de sixième sens lui fit flairer un danger et il s'immobilisa, les deux mains prises par la cigarette et le briquet, mais une fraction de seconde trop tard. La main de Mathieu avait décrit un arc de cercle et la clé anglaise qu'il avait saisie sous le siège s'était abattue sur le crâne de Charlie. Il y eut un bruit sourd. Charlie n'eut pas le temps de proférer le moindre son. Il s'effondra.

— J'avais joué franc jeu avec toi, Charlie, grommela Mathieu. Je t'avais donné toutes tes chances.

Il asséna un second coup, pour plus de sûreté.

Avec un détachement total, une froideur glaciale, il constata qu'il n'y avait pas de sang. Bien. Il mit les cigarettes et le briquet dans sa poche, remit le moteur en route et repartit, à vive allure. Charlie, effondré sur le siège voisin, semblait dormir.

Aucune autre voiture ne passa par là. Personne Au bout d'un moment, Mathieu quitta cette route pour s'engager dans un chemin qui n'était guère qu'une piste sillonnée d'ornières et envahie par les mauvaises herbes. La voiture sautait terriblement sur ce sol inégal. Mathieu arriva ainsi non loin d'une ancienne carrière abandonnée, couverte maintenant de buissons. Il s'arrêta à quelques mètres du trou béant. Puis, calmement, en pleine possession de son sang-froid sortit le corps de Charlie de la

voiture et le fit rouler par-dessus bord. Il ne regarda
même pas dans le trou pour jeter un dernier coup
d'œil à Charlie. Il remonta immédiatement en voiture et s'éloigna le plus rapidement possible, par ce
même chemin dans lequel Charlie avait signé son
arrêt de mort.

— Je t'ai donné toutes tes chances, Charlie.
J'ai joué franc jeu avec toi, répéta-t-il à plusieurs
reprises, à haute voix, tout en manœuvrant pour
éviter les branches basses.

Il retourna à Chyndford et s'arrêta chez sa
sœur Sylvia. Il passa une heure agréable chez elle,
à écouter des disques en buvant de la bière. Puis
il rentra chez lui, juste à temps pour dire bonsoir
à sa mère qui s'apprêtait à monter se coucher. Il
se sentait calme, rempli d'une satisfaction tranquille,
avec seulement un faible regret : il avait fait cela
pour les siens, et ils n'en sauraient jamais rien.

Avant de monter se coucher, il nettoya la clé
anglaise dans l'évier de la cuisine, très à fond, bien
qu'elle ne portât aucune trace de sang. Puis il descendit dans le jardin, dans l'obscurité, et enfonça à
diverses reprises l'outil dans la terre.

Le lendemain, de bon matin, il alla travailler
dans l'atelier de John et replaça la clé anglaise où
il l'avait prise.

*
**

Ce même vendredi soir, pendant que Mathieu
faisait habilement tomber Charlie Coram dans le
piège mortel qu'il lui avait préparé. Jill et Terry
cherchaient un appartement. L'agence immobilière

à laquelle ils s'étaient adressés leur avait fourni une
très courte liste d'appartements disponibles, et ils en
visitaient un.

Il était vraiment petit et banal, mais ils n'en
demandaient pas plus. Ils voulaient simplement un
endroit où ils seraient chez eux, et seuls. Un endroit
où ils seraient ensemble, dans une intimité nouvelle, loin de leurs familles. L'appartement était
cependant fort agréable. Il avait été aménagé dans
les combles d'une ancienne propriété qui dominait la
rivière au bord de laquelle ils s'étaient promenés,
si peu de temps auparavant, le soir où Terry n'avait
pas su dire les mots que Jill attendait de lui.

— Il me plaît, cet appartement, dit Terry qui,
le nez à la fenêtre, regardait le sentier du bord de
l'eau et les amoureux qui le parcouraient, la main
dans la main.

Il serra son bras autour de la taille de Jill.

— Oui, dit Jill, mais il faudrait que je place
un rideau devant cette fenêtre.

— Pourquoi ? protesta Terry, la serrant contre
lui au point de l'étouffer. J'aime cette vue ! Quand
je serai un vieil homme marié, je pourrai regarder
par cette fenêtre et rêver au temps où nous étions
jeunes, tous les deux, et ou nous empruntions ce
chemin boueux.

— Idiot ! répliqua amoureusement Jill.

— Combien de temps crois-tu qu'il faudra pour
que je devienne un vieux mari ? Deux siècles ?

— Deux mois, et tu le sais très bien, plaisanta
Jill, mais, dans ses yeux l'éclat amusé s'était légèrement voilé. Dis, chéri, ça t'est vraiment égal tous ces
embarras, pour notre mariage ? Je m'en passerais

bien, moi aussi ; mais tu connais tante Hester : il faut que tout se passe conformément aux traditions, avec elle.

— Mais j'en suis très content, moi aussi.

Il mentait, bien sûr ; les égards que Jill manifestait pour les sentiments de sa tante lui faisaient redoubler d'amour pour elle mais, bien sûr, il eut de beaucoup préféré un mariage dans la plus stricte intimité. Enfin, pour avoir Jill, il était prêt à marcher sur des charbons ardents.

Jill non plus ne lui avait pas dit toute la vérité, d'ailleurs. Elle ne lui rapporterait jamais la réaction stupéfaite et indignée de sa tante quand elle lui avait annoncé que Terry et elle cherchaient un petit appartement où ils voulaient vivre seuls. Hester Pagett savait parfaitement que les jeunes d'aujourd'hui sont terriblement impatients de couper les liens avec la maison familiale, mais elle ne pouvait pas comprendre qu'on ne rêvât pas d'habiter Chimes Cottage. Elle en conclut immédiatement que c'était un autre exemple de l'influence néfaste de ces Woodley, qui avaient vécu dans des caravanes.

— Vraiment, Jill, comment peux-tu faire cela ? Cette maison a été bâtie par un Pagett pour les Pagett, et la famille n'a jamais cessé de l'habiter depuis sa construction ! Tu ne peux pas sérieusement vouloir... Un appartement ? Un appartement !

— Tante Hester, nous voulons commencer par un petit nid bien à nous, dit Jill, avec lassitude. Ce n'est pas si extraordinaire que tu le crois. Il nous faut un endroit où nous pourrons apprendre à nous connaître, à nous comprendre, où nous pourrons

nous disputer ou même nous battre en toute intimité
si l'envie nous en prend.

— Vous disputer ? répéta Tante Hester, qui
voyait une lueur d'espoir.

— Tous les gens mariés se disputent, répondit
Jill, sans se départir de sa sérénité. Surtout les jeunes
mariés. Mais, quand ils peuvent le faire en privé, il
y a toutes chances pour que l'orage passe sans mal.
Tu comprends ? Il serait bien improbable que Terry
et moi, nous ne nous disions jamais de sottises.
Quand cela nous arrivera, nous voudrions pouvoir
disposer de notre petit champ de bataille personnel.

Hester Pagett regarda sa nièce d'un air bizarre.
Elle prenait conscience une fois de plus du gouffre
qui la séparait de ce dernier rejeton des Pagett, qui
n'avait ni le sens des traditions ni du conformisme
qui dominaient la vie d'Hester, mais qui savait ce
qu'elle voulait et généralement l'obtenait.

Une autre idée lui vint alors. Elle pensa que le
cottage lui paraîtrait terriblement vide, sans Jill et,
pour une fois, elle affronta la réalité.

— Mais que ferai-je, moi ? gémit-elle. Cette
maison est trop grande pour moi seule !

— Peut-être bien. Je voulais justement te parler
de cela, tante Hester. Bien entendu, je ne voudrais
pas que tu vives toute seule. Mais tu pourrais vendre
la maison. Tu en retirerais sûrement un bon...

— Jamais ! coupa Hester Pagett.

— Oui, j'avais bien pensé que tu ne voudrais
pas. Il y a une autre solution : c'est que tu demandes à quelqu'un de venir vivre avec toi. Je parle
sérieusement, ma tante. Tu as quantité d'amies qui
sauteraient sur l'occasion.

Jill hésita.

— J'avais même pensé à quelqu'un. A Muriel
Wendell. Elle est très gentille et cela fait des siècles
que vous vous connaissez. Elle a eu bien des déboi-
res, la pauvre, puisque son mari est mort en la laissant terriblement démunie. Il lui a fallu vivre dans
un petit logement étriqué, mais elle ne s'est jamais
plainte. Jamais !

Hester Pagett devint songeuse. Il était bien vrai
que son amie Muriel menait désormais une vie bien
difficile. Et puis, c'était une femme docile, agréable,
qui partageait ses idées sur la vie et elle avait une
petite voiture.

— Elle a une voiture, ajouta astucieusement Jill,
qui avait suivi le cheminement des réflexions de sa
tante. J'ai toujours regretté de ne pas pouvoir en
acheter une pour te faire sortir davantage, tante
Hester. Mais tu me connais...

Oui, je te connais, pensa Hester Pagett. Panier
percé, comme ton arrière-grand oncle Horace !

Néanmoins, elle s'était un peu rassérénée.

— J'y réfléchirai, dit-elle, hautaine.

Elle y réfléchissait, ce vendredi soir, pendant que
Jill et Terry, les yeux brillants à l'idée de leur bonheur futur, rêvaient, enlacés, devant la fenêtre de
leur appartement en regardant la rivière couler doucement sous leurs yeux et les amoureux longer ses
rives, bras dessus bras dessous, dans la douceur du
crépuscule.

Et pendant que Mathieu Woodley faisait bascu-
ler le corps de Charlie Coram dans une carrière
abandonnée.

Mathieu considérait qu'il n'avait agi que dans

l'intérêt de sa famille, et qu'il avait ainsi payé sa dette envers les siens. Il leur devait beaucoup... il leur devait tout, même. Mais il les avait sauvés des griffes d'un maître chanteur. Et, s'il y avait quelque chose qu'il avait bien appris pendant les dix dernières années, c'étaient les embarras qu'un maître chanteur pouvait causer, ne fût-il qu'un malheureux escroc de rien du tout comme Charlie.

Il ne regrettait qu'une chose : ne pas pouvoir dire aux siens ce qu'il avait fait pour eux.

Aucun remords, aucune crainte ne le troublaient. Venu très tôt à l'atelier pour y remettre l'arme du crime à sa place, il y resta et causa une des plus grandes surprises de leur vie à John et à son assistant, Sam lorsque, arrivant, une heure plus tard, ils le trouvèrent déjà à la tâche.

Il travailla dur, pendant tout ce samedi matin, sans penser une seule fois à Charlie : c'était une affaire terminée. Charlie avait eu l'occasion de choisir. Il avait mal choisi. C'était tout.

John, surpris de voir Mathieu se concentrer ainsi sur son travail, le félicita et le modéra.

— Pas besoin de te tuer au travail, Mathieu ! Je t'ai simplement demandé de débrancher cette batterie pour voir si tu te rappelais comment on fait. Je ne t'ai pas demandé de la retirer tout seul. Nous allons te donner un coup de main, Sam ou moi.

— Oui, c'est assez lourd, remarqua Mathieu, faisant une grimace qui cachait mal son allégresse.

— De toute façon, il est midi. Puisque c'est samedi, chacun rentre chez soi. Tu fais quelque chose, aujourd'hui ? demanda-t-il, les yeux fixés sur le visage rayonnant de son beau-frère.

— Rien de spécial cet après-midi. Ce soir, j'ai rendez-vous avec Diana Summers.

John haussa les sourcils. Diana Summers était une jeune femme pleine d'allant qui tenait dans la grand-rue de Chyndford un magasin de modes et une boutique d'antiquaire. Elle se dépensait énormément dans toutes les activités sociales du pays. Sa réputation était un peu scandaleuse, mais John estimait que cela ne le regardait pas. Et puis Mathieu avait beaucoup de temps à rattraper du côté des petites amies. En tout cas, il n'avait plus essayé de faire la cour à Jill depuis que celle-ci était officiellement fiancée avec Terry. C'était déjà quelque chose, se disait John qui, sur bien des points, était tout aussi attaché aux traditions que Hester Pagett elle-même. Mathieu semblait retrouver peu à peu son équilibre.

Lydia elle-même fut sensible à la sérénité de Mathieu. Elle l'entendit siffler gaiement en prenant son bain et se sentait gagnée par une impression de paix et de confiance.

Elle devait, se disait-elle, cesser de se tracasser. Tout allait bien. Il était temps, qu'elle comprenne que ses enfants étaient assez grands pour savoir ce qu'ils avaient à faire. Temps aussi qu'elle pense moins à eux et davantage à elle. Elle pourrait se reposer, de temps à autre. Rien ne l'empêchait de prendre un jour de congé pour aller faire les vitrines de Chester. Pourquoi ne pas choisir elle-même sa robe pour le grand jour au lieu de laisser Sylvia et Rose lui trouver quelque chose ? Il y avait bien longtemps qu'elle ne s'était plus préoccupée de choses pareilles. Mais, après tout, si elle voulait

bien ne pas faire sa mauvaise tête, peut-être pourrait-elle même éprouver quelque joie au mariage
de Terry et de Jill dont elle devinait qu'Hester
voulait faire une grande cérémonie.

Elle se mit à y penser.

Le seul être au monde qui songeait à Charlie
Coram était sa logeuse, madame Taylor. Elle ne
se fit pas trop de souci en ne le voyant pas rentrer
le vendredi soir. Ne lui avait-il pas dit qu'il avait
peut-être trouvé un emploi meilleur, que les mauvais jours étaient terminés pour lui et qu'il ne l'oublierait pas ?

Ce qu'il faisait, de toute façon, ne la concernait
pas, mais elle avait horreur de tout ce qui dérangeait son emploi du temps bien réglé. Comment
savoir si elle devait mettre en route le bœuf miroton qui était son plat préféré ?

Elle alla faire ses courses au supermarché, mais
fit le tour jusqu'à l'entrée de service où se faisaient les livraisons. Elle ne vit aucune trace de
Charlie. Elle s'adressa au surveillant qu'elle connaissait un peu.

— Charlie Coram est-il venu, ce matin ? demanda-t-elle.

L'homme hocha négativement la tête.

— Il n'a pas fait son apparition, dit-il. Et ce
n'est pas le travail qui manque, pourtant !

Elle rentra chez elle, résignée, mais pas encore
inquiète. L'après-midi, elle prit l'autobus pour se
rendre chez Mme Muriel Wendell, pour qui elle

faisait un peu de couture, à l'occasion. Madame
Wendell envisageait de remplacer les rideaux dans
le petit deux-pièces qu'elle avait loué, et Mme Taylor avait accepté de les lui confectionner.

Elle trouva sa cliente très agitée.

— C'est vous, madame Taylor. Ecoutez, je ne
sais comment vous dire cela. Voilà... je ne suis
plus très sûre de vouloir changer mes rideaux.

Madame Taylor sourit et attendit poliment. Madame Wendell avait terriblement réduit son train de vie.
Tout de même, c'était toujours quelqu'un, une de
ces vraies dames comme on n'en fait plus aujour-
d'hui. Madame Taylor lui avait rendu des services,
par-ci par-là, pendant bien des années ; toujours
Mme Wendell avait été pleine d'égards et de gentillesse pour elle.

— Voyez-vous, j'ai besoin de réfléchir encore,
insista-t-elle.

En fait, elle avait l'esprit plein d'une affaire
beaucoup plus importante. Hester Pagett l'avait
entretenue des projets de Jill et de Terry et lui
avait laissé entrevoir la possibilité d'une installa-
tion à Chimes Cottage, après le mariage et le
départ de Jill. S'il était une propriété que
Mme Wendell admirait, profondément et sans jalousie aucune, c'était bien Chimes Cottage. Elle avait
presque perdu la tête quand elle avait entrevu la
perspective d'y habiter, de sortir de ce petit appartement minable auquel elle avait été réduite à cause
de l'imprévoyance de son défunt mari.

Mais, avant de pouvoir prendre une décision,
il y avait naturellement quantité de points à régler.

Pour le moment, elle n'avait l'intention d'en parler à personne, sinon peut-être à son notaire.

Elle remarqua la déception de Mme Taylor.

— Je suis désolée de vous avoir fait faire tout ce chemin pour rien, dit-elle. J'espère que vous ne m'en voudrez pas trop. Vous prendrez bien une tasse de thé ?

— Non, merci, madame.

— Permettez au moins que je vous dédommage pour votre déplacement, insista Muriel Wendell.

— Je vous en prie, non ! Il fallait que je vienne de ce côté, de toute façon, mentit Mme Taylor.

Madame Wendell hésita.

— Vous semblez soucieuse, remarqua Madame Wendell. Quelque chose ne va pas ?

— Pas exactement, répondit Mme Taylor. Simplement, je me fais un peu de souci pour le pensionnaire que j'ai en ce moment. Il n'est pas rentré, hier soir.

— Je ne savais pas que vous aviez un pensionnaire, dit Mme Wendell.

Madame Taylor haussa les épaules et se mordit la lèvre.

— Je ne l'ai que depuis deux ou trois semaines, dit-elle. S'il comptait ne pas rentrer de la nuit, il aurait dû me prévenir.

Madame Wendell acquiesça, puis poussa un soupir, laissant entendre que c'était malheureusement une habitude trop commune aux hommes et que les femmes devaient supporter.

— Je pense qu'il vous téléphonera pour s'expli-

quer, ou qu'il reviendra, dit Mme Wendell, rassu-
rante. Il vous devait de l'argent ?

— Non, rien. Il m'a réglé sa semaine l'autre
soir en revenant de son travail, puis il est sorti et
n'est pas revenu.

Elle se rappelait aussi que Charlie était parti
sans ses petites affaires.

Le chef de patrouille Reg Purdy avait parcouru
près de deux kilomètres avec sa petite troupe de
huit boy-scouts. — Ils s'étaient enfin arrêtés dans
un endroit particulièrement désert de la lande où
le sol était couvert d'un tapis épais d'airelles. Chacun des enfants portait un sac en plastique. Ils
comptaient ramasser suffisamment d'airelles pour
faire des tartes quand ils retourneraient à leur
camp.

Le chef Purdy, athlétique, buriné par des années
de vie au grand air, promena autour de lui l'œil
observateur de l'homme habitué à interpréter les
moindres signes du paysage naturel et s'arrêta.

— Nous y sommes, les gars, dit-il. Ce coin est
rempli d'airelles. Vous les voyez ?

Il se baissa, cueillit quelques petites boules vio-
lettes et les laissa tomber dans le sac plastique qu'il
portait, lui aussi.

— Dispersez-vous, mais restez toujours deux
par deux.

Comme les gamins s'apprêtaient à filer, il les
rappela d'un coup de sifflet.

— Je n'ai pas terminé ! Je ne sais pas si vous

êtes au courant, mais il y a dans cette direction
une ancienne carrière. Ne vous en approchez pas.
Nous reviendrons un autre jour, pour l'explorer.
Peut-être y trouverons-nous des fossiles. Mais,
pour le moment, nous ramassons des airelles. Si
je vois l'un de vous se risquer par là, tout le monde
retournera immédiatement au camp et il n'y aura
pas de tarte aux airelles pour le dîner. Compris ?
Maintenant, allez-y !

Les scouts s'éparpillèrent, deux par deux, dans
toutes les directions. Reg Purdy sourit dans sa
barbe, ramassa quelques airelles, puis se mit en
route en direction de la carrière.

Il se rappelait sa propre enfance. En ce temps-
là, la carrière était en pleine activité. On y exploi-
tait un beau grès rouge utilisé dans tout le pays
pour la construction. L'endroit était plein de grosses
machines, de camions, d'ouvriers, de bruit. Et
puis, l'entreprise s'était arrêtée, on n'avait jamais
su pourquoi. Hommes, machines et véhicules avaient
disparu et il n'était plus resté qu'un grand trou
béant entouré d'une étendue argileuse inculte. Peu
à peu, la nature avait réoccupé le terrain, et les
airelles avaient recommencé à pousser. La nature
ne pouvait évidemment pas combler aussi vite le
grand trou de la carrière, encore qu'elle s'y
employât de son mieux. Le fond en était en perma-
nence rempli d'eau stagnante, et des limons se dépo-
saient peu à peu.

Ses chaussures écrasaient l'argile molle. Consi-
dérant la pente glissante, sur plusieurs mètres de
largeur, il se demandait quand le conseil municipal
se déciderait à s'occuper de cet endroit qui, natu-

rellement, exerçait une attraction un peu morbide,
sur les esprits aventureux, et bien entendu surtout
sur les enfants. C'était d'ailleurs pour cette raison
qu'il projetait sérieusement d'organiser une expédi-
tion pour explorer la carrière, avec tout l'équipe-
ment voulu. Il s'y connaissait lui-même en fouilles
de ce genre et pourrait apprendre des tas de choses
à ses gamins.

La pente devenait plus forte, et Purdy avançait
prudemment.

Juste au-dessous de lui, il y avait une espèce
de corniche étroite sur laquelle une vieille voiture
d'enfant, dont quelqu'un s'était débarrassé, était
restée accrochée, en équilibre instable. Purdy était
un fervent de la protection de l'environnement et
la façon dont les gens semaient leurs vieilles fer-
railles un peu partout l'indignait. Il fronça les
sourcils et se promit d'écrire une belle lettre au
conseil municipal à ce sujet. Derrière la vieille
voiture entre la carcasse et le roc, il aperçut un
ballot de vieux chiffons. C'en était trop ! Purdy
décida qu'il mettrait une de ses troupes de louve-
teaux au travail. Il leur demanderait de confectionner des pancartes sur lesquelles ils écriraient :
« *Défense de déposer des ordures* » et qu'ils distri-
bueraient un peu partout.

Et puis, regardant plus attentivement, il trouva
que ce ballot de chiffons avait une étrange forme.
On aurait dit qu'il y avait un corps, dedans. Il
s'aventura prudemment un peu plus avant et prit
les jumelles qu'il portait accrochées autour du cou.
Il les régla, regarda.

C'était bien un corps humain. Il voyait distinctement une main et le derrière de la tête, qui semblait chauve. Il fut pris d'un tremblement, remonta vivement la pente, fit quelques mètres, prit son sifflet et en tira des sons impératifs.

CHAPITRE VII

La voiture de Muriel Wendell était très vieille ; c'était le dernier luxe qui lui restait d'une vie jadis aisée. Elle devait consentir beaucoup de sacrifices pour pouvoir la garder mais, sans elle, elle était perdue. Elle avait près de soixante-dix ans et il y avait cinquante ans qu'elle conduisait. Après les Rolls-Royce que son mari lui avait offertes autrefois, la Mini paraissait dérisoire. Mais c'était une considération secondaire. L'essentiel était que la voiture roulât encore.

Ce dimanche-là, elle s'était dirigée vers Chimes Cottage où elle avait pris son amie Hester et un panier de pique-nique. Les deux vieilles amies s'étaient octroyé un jour de congé. Elles avaient décidé d'aller se promener dans les vieux quartier de Chester, de visiter la cathédrale, puis de descendre au bord de la rivière et d'y chercher un endroit convenable pour le déjeuner.

C'était Hester qui avait préparé le pique-nique et il ne pouvait qu'être excellent, car elle était un fin cordon-bleu, à la différence de Muriel. Mais cette dernière avait une voiture qu'elle conduisait parfaitement... On ne peut pas tout avoir ! C'était une bonne occasion pour parler de la grande affaire qui les préoccupait toutes deux. Elles s'expliqueraient franchement et peut-être Muriel Wendell pourrait prendre sa décision.

Les deux vieilles dames, dans la petite voiture, composaient un tableau pittoresque.

— J'avoue que quelque chose me préoccupe, dit Muriel, perplexe. Supposez que Jill et son mari décident de revenir vivre à Chimes Cottage ? Je ne saurais plus que faire.

— Je vous comprends, Muriel. Mais vous connaissez bien Jill. Elle serait bien incapable de mettre qui que ce soit à la rue. Naturellement, il reste entendu que Chimes Cottage lui appartiendra un jour quand je... Enfin, elle en héritera, soupira Hester, qui n'envisageait pas cette perspective sans un certain malaise. Mais vous avez raison de vouloir des garanties, Muriel. Il faudrait rédiger une sorte de contrat, que nous signerions toutes les deux...

Hester s'interrompit et regarda autour d'elle.

— Où sommes-nous donc exactement ? demanda-t-elle.

— Sur la route de Chester, répondit Muriel. Je passe par là parce qu'il y a beaucoup moins de circulation que sur la grand-route. Vous disiez ?

Hester saisit le bras de Muriel et la voiture fit une embardée.

— Qu'est-ce que c'est que cela ? souffla-t-elle.

Deux petites silhouettes étaient plantées au beau milieu de la route étroite. Les deux gamins agitaient frénétiquement les bras, intimant à la voiture l'ordre de stopper. Ils portaient une sorte d'uniforme.

— Des scouts, dit Muriel, en freinant. Ils veulent probablement que nous les emmenions.

Elle s'arrêta et baissa sa vitre. Les deux enfants coururent vers elle.

— Pourriez-vous nous emmener jusqu'au village ? demanda l'un d'eux, qui haletait un peu. Il faut que nous trouvions une cabine téléphonique pour appeler la police.

— Montez ! Vous avez dit : la police ? demande Muriel.

Les deux scouts s'installèrent à l'arrière.

— Oui, dit l'autre. C'est le chef qui nous envoie. Il faut que les policiers viennent tout de suite à la vieille carrière. Le chef dit qu'il y a un cadavre au fond.

— Un cadavre ? répéta Hester, épouvantée, comme la voiture se remettait en marche.

— Oui, un cadavre, dit l'enfant, visiblement bouleversé mais aussi ravi d'être mêlé à un événement aussi extraordinaire. Le chef l'a dit. Il monte la garde auprès de la carrière en attendant que la police arrive. Il n'a pas voulu que nous nous en approchions. Merci, madame...

Ils étaient arrivés à un village et Muriel s'était arrêtée devant la première cabine téléphonique qu'elle avait aperçue. Hester baissa la glace de son côté.

— Nous vous attendrons et nous vous remmènerons là-bas ! cria-t-elle.

Et, tournée vers son amie, elle coupa court à toute protestation éventuelle en déclarant :

— Nous ne pouvons pas laisser ces enfants refaire tout ce chemin à pied, n'est-ce pas ?

— Bien entendu, dit Muriel. D'ailleurs, je tiens à m'assurer qu'ils disent bien la vérité.

Elles n'eurent pas à reconduire les enfants car une voiture de police arriva très vite. Un agent en uniforme en descendit et demanda quelques renseignements aux enfants qui l'avaient attendu à côté de la cabine. Les policiers prirent les deux scouts avec eux et la Mini de Muriel Wendel, qui avait fait demi-tour, les suivit. Les deux femmes ne pensaient plus, pour le moment, à leur projet d'excursion à Chester.

Le « chef » Purdy était resté sur place. Il tenait à l'œil les six enfants qui lui restaient, car son premier devoir était de les surveiller. Comme une sentinelle, il ne bougeait pas d'un pouce et aucun des scouts n'aurait osé s'aventurer au-delà. Il essaya de leur faire reprendre leur cueillette d'airelles, mais sans succès. Même sans tarte, ils auraient, ce soir, un dîner passionnant.

Le temps paraissait long, dans cette solitude et ce désœuvrement. Mais, quand les secours arrivèrent, ce fut tout de suite un envahissement : une voiture de police, suivie d'un autre véhicule transportant deux vieilles dames, puis, peu après, une ambulance. La vieille carrière retrouvait une animation qu'elle n'avait pas connue depuis longtemps.

Le chef raconta son histoire aux policiers. Il leur montra ce qu'il avait vu. Les agents reconnurent que cela ressemblait bien à un corps. Un médecin, un brancardier et une infirmière sortirent de l'ambulance. Le médecin déclara qu'il était préférable d'examiner le corps sur place ; mais il avoua qu'il n'était pas très fort pour ce genre d'escalade. Le chef offrit de lui servir de guide.

Tout cela prit du temps, beaucoup de temps. Les deux vieilles dames, qui n'avaient rien à faire dans cette histoire, risquaient de s'entendre prier poliment d'aller se promener ailleurs, mais Hester eut une inspiration : elle alla chercher le panier à pique-nique dans la voiture.

Bien sûr, il n'y en aurait pas suffisamment pour tout le monde, encore que les victuailles aient été très généreusement calculées. Hester soupira en voyant les boy-scouts engloutir voracement les petits sandwiches délicats qu'elle avait préparés avec amour. Les agents se laissèrent tenter par deux cuisses de poulet et parurent moins enclins à ordonner aux deux dames de s'en aller.

— Vous n'avez sans doute aucune idée de qui il peut s'agir ? demanda Hester.

— Aucune, madame. Nous ne pourrons rien dire, tant que nous ne l'aurons pas vu.

— Je me demande depuis combien de temps il est là. Et comment il y est venu.

— C'est ce que nous nous demandons tous, madame. J'espère que nous découvrirons tout cela, avec le temps.

Son ton s'était fait plus bref. Muriel Wendel le remarqua.

— Vous savez, Hester, dit-elle, je crois que nous ferions mieux de partir. Nous ne pouvons

rien faire d'autre, et je ne tiens pas particulièrement
à voir...

Elle fut interrompue par un bruit inquiétant,
venu de la carrière : celui d'une chute dans l'eau
boueuse.

— Qu'est-il arrivé ? gémit Muriel, qui avait
pâli. J'espère que ces deux braves messieurs ne
sont pas...

Mais la tête et les épaules du « chef » Purdy
apparurent au bord de l'excavation. Il reprit pied
sur la terre ferme et se dirigea vers l'ambulance.

— Nous avons jeté la vieille voiture d'enfant
en bas, pour nous faire un peu plus de place, expli-
qua-t-il. Le médecin voudrait une civière et sa
trousse. Il voudrait aussi que vous descendiez, vous,
pour manœuvrer le brancard. Nous resterons en
haut, nous autres, pour vous hisser avec des cordes.
Le type est vivant, ajouta-t-il. Enfin, il vit encore...

Hester Pagett et Muriel Wendell, à qui leur
rôle de témoins de cette scène macabre commençait à déplaire, retournèrent à leur voiture.

Personne ne fit attention à leur départ ou, plus
exactement, les policiers furent assez contents de
les voir s'en aller.

— Vous savez, Hester, dit Muriel, ça ne me
dit plus grand-chose d'aller à Chester. Cette histoire
m'a un peu retournée. Cela vous serait-il égal si
nous rentrions ?

— Absolument. D'ailleurs, que pouvons-nous
faire d'autre maintenant que notre pique-nique a
disparu ? Je ne tiens pas à m'empoisonner avec
ce qu'on vous sert de nos jours dans les restau-
rants. Retournons à Chimes Cottage. Nous nous

installerons dans le jardin et je préparerai à déjeuner. Je me demande comment cet homme a bien pu se retrouver au fond de la carrière. Qui cela peut-il bien être ?

Le chef Reg Purdy fit un travail remarquable, ce jour-là. Il aida les ambulanciers à descendre dans la carrière, il surveilla la descente de la civière et disposa les cordes de façon qu'on puisse la remonter sans trop la secouer. Pendant tout ce temps, il surveillait d'un œil attentif ses huit gamins turbulents.

Les ambulanciers déposèrent Charlie Coram sur la civière, l'enveloppèrent dans des couvertures et l'attachèrent de façon experte, pour qu'il ne risque pas de tomber pendant la remontée. Le médecin lui fit une piqûre — pensant intérieurement que c'était probablement une précaution inutile, étant donné l'état dans lequel le malheureux se trouvait. Mais il restait un souffle de vie dans ce corps et c'était le devoir du médecin de tout faire pour entretenir ce souffle.

Le signal fut donné et les deux agents, aidés par le chef Purdy, commencèrent à remonter la civière. Après, il fallut remonter le médecin et les ambulanciers. Quelques secondes plus tard, l'ambulance démarrait et filait vers l'hôpital.

Les agents recueillirent la déposition de Purdy, écoutèrent patiemment ses commentaires explosifs sur la négligence de la municipalité qui laissait cet endroit dangereux dans un état aussi lamentable mais consignèrent les faits positifs qui résultaient de ces déclarations. Puis ils partirent et le chef et ses scouts se retrouvèrent seuls.

Comme Hester et Muriel, le chef Purdy en avait
assez de cette promenade et il regrettait que les
enfants aient assisté à ce lugubre spectacle. Il les
ramena au camp en leur faisant chanter un refrain
de marche, tout en fignolant intérieurement la rédac-
tion de la lettre qu'il comptait bien écrire au conseil
municipal.

*
**

Le jardin de Chimes Cottage était très agréable,
mais Hester et Muriel ne pouvaient pas chasser de
leur esprit les scènes dont elles venaient d'être
les témoins horrifiés et le souvenir de cet homme
qui était tombé dans la carrière. Elles ne cessaient
de revenir sur ce sujet de conversation.

— Ces agents n'ont même pas noté nos noms
et adresses! remarqua Hester.

— Mais pourquoi l'auraient-ils fait ?

Hester dut reconnaître qu'il n'y avait aucune
raison pour qu'ils se soient souciés de leur identité.
Nous ne pouvons apporter aucun renseignement
utile. Je crois qu'il vaut mieux que nous ne nous
mêlions pas de cette affaire. Laissons les gens
compétents faire ce qu'ils ont à faire. Je dois dire
que j'ai eu une impression d'efficacité remarquable.
Nous aurons, sans aucun doute, des nouvelles par
les journaux.

Hester fronça les sourcils devant cette réponse
qui lui semblait un peu une rebuffade. Elle voulait
espérer que Muriel n'avait pas un esprit de contradiction ou simplement de discussion trop poussé.

Muriel reprit une tartelette au citron que Hester réussissait à la perfection, et éprouva à nouveau comme une vague impression de malaise, un souvenir qu'elle ne parvenait pas à préciser.

Mais ce souvenir se précisa quand, rentrée chez elle, son regard tomba sur les rideaux usés qu'elle avait fini par ne plus pouvoir supporter.

C'était un souvenir qui se rattachait à madame Taylor, cette femme à qui elle avait demandé de confectionner les rideaux neufs dont elle n'aurait probablement plus besoin maintenant. Madame Taylor lui avait paru fort préoccupée en lui parlant de son pensionnaire qui n'était pas rentré depuis vendredi soir.

Ce n'était sans doute qu'une coïncidence extraordinaire. Muriel se dit qu'elle avait trop d'imagination et elle se coucha.

Le lendemain matin pourtant, elle y pensait encore. Cet homme n'était pas rentré sans avoir prévenu et on avait trouvé un corps inanimé au fond de la carrière abandonnée, à une quinzaine de kilomètres de Chyndford...

Muriel était une femme d'ordre, qui n'aimait pas conserver un doute sur quoi que ce soit. Elle prit sa voiture et alla voir Mme Taylor.

— Je suis venue vous demander si votre pensionnaire était revenu, déclara-t-elle d'entrée.

Madame Taylor, extrêmement surprise de cette visite, répondit que Charlie n'avait pas donné de ses nouvelles. Cela faisait maintenant trois nuits et deux jours qu'il avait disparu. Après une telle escapade, elle se demandait d'ailleurs si elle accepterait de le reprendre.

— Je ne voudrais pas vous inquiéter inutile-
ment, madame Taylor... commença Muriel.

Elle commença à raconter l'incident auquel elle
avait été mêlée la veille.

— Vous pourriez toujours en parler à la police,
suggéra-t-elle. Cela ne peut pas faire de mal. Bien
entendu, il est possible que ce malheureux n'ait rien
à voir avec votre locataire. Je puis vous conduire
jusqu'au commissariat de police, si vous voulez ?

Elles ignoraient toutes deux que la police avait
lancé des appels à la radio la veille et le matin.
Comme leur visite constituait la première indication
recueillie sur l'identité possible de la victime, elles
furent reçues avec un intérêt qui les étonna. Vingt
minutes après, on les emmenait dans un hôpital
où une nombreuse équipe de médecins, chirurgiens
et infirmiers travaillait à conserver en Charlie
Coram ce souffle de vie, qui pour aussi incroyable
que cela parût, persistait encore.

On demanda à Mme Taylor de jeter un coup
d'œil à l'homme placé sous la tente à oxygène.
Mais le blessé était couvert de pansements de la
tête aux pieds et, sincèrement, la vieille dame avoua
qu'elle ne pouvait le reconnaître. Puis on lui présenta une photo du blessé prise à son arrivée à
l'hôpital et, cette fois encore, elle ne put rien dire.
En effet, il avait dû tomber le nez en avant et son
visage écrasé était absolument méconnaissable.
Madame Taylor déclara, hésitante, que cela pouvait être Charlie comme tout autre personne.

En fait d'identification, c'était mince, mais la
police, n'ayant aucun autre élément, lui déclara

qu'elle reprendrait sans doute contact avec elle bien que la vue de la victime ait fortement ébranlé la pauvre femme qui pleurait à chaudes larmes. Madame Wendell s'empressa de la réconforter.

Au moment où elles quittaient le commissariat, un journaliste s'approcha d'elles.

L'histoire détaillée du sauvetage sensationnel de l'homme de la carrière parut dans la presse avec des photos de Mme Taylor qui, disait-on, ne parvenait toujours pas à dire s'il s'agissait bien de Charlie Coram — et du chef Purdy qui jubilait de cette publicité et qui se lança dans une sévère tirade contre l'incurie de la municipalité.

La police restait discrète, déclarant seulement que l'homme avait le nez cassé, un bras cassé, une jambes cassée, de multiples plaies très sérieuses, une fracture du crâne complexe. Le médecin légiste soupçonnait cette dernière fracture d'avoir été causée par une arme contondante. La police déclarait qu'elle restait ouverte à toutes les hypothèses et demandait à Charlie Coram de se présenter s'il était encore en état de le faire, ce qui leur eût prouvé au moins que ce n'était pas lui qui gisait sous la tente à oxygène.

Mais, comme les policiers sont des gens qui croient peu aux coïncidences, comme d'autre part ils n'avaient aucune autre piste, ils posèrent en principe que « leur homme » devait bien être Charlie Coram. Il ne leur fallut que quelques heures pour

apprendre que celui-ci était un délinquant récidi-
viste. Le pensionnaire de Mme Taylor avait fait
d'assez nombreux séjours en prison. Il vivait habituellement à Londres et il n'y avait pas très longtemps qu'il était sorti de prison pour la dernière
fois. Les policiers commencèrent à se demander ce
que ce Charlie Coram pouvait bien être venu faire
à Chyndford et pourquoi il s'était installé chez
Mme Taylor et avait pris un emploi, peu reluisant
certes, mais honorable.

Le personnel de l'hopital renvoya assez rudement les journalistes. Les médecins étaient trop
occupés pour perdre leur temps en bavardages.

Les journalistes firent de leur mieux pour arracher de maigres informations à la police, mais
n'abandonnèrent pas cette étrange affaire.

Il fallut un certain courage à Mathieu Woodley pour ne pas se trahir quand il lut dans le journal l'histoire du sauvetage de Charlie : cet événement le mettait dans une situation impossible.

Il s'apercevait, trop tard, qu'il avait commis
un oubli grave. Il aurait dû jeter un dernier coup
d'œil dans la carrière et s'assurer que Charlie avait
piqué une tête jusque dans l'eau qui remplissait le
fond de l'excavation. Mais tout de même, quelle
malchance qu'on eût trouvé et sauvé Charlie si
vite ! Normalement, il aurait dû rester là des années
avant d'être découvert.

Mathieu jura contre ce chef scout qui se mêlait
de ce qui ne le regardait pas et avait exprimé ses
opinions avec une liberté qui frisait l'agressivité. Il
maudissait surtout sa malchance, qui voulait que

ce Charlie, qui aurait dû être mort depuis longtemps, soit encore vivant.

Le seul maigre réconfort lui venait des déclarations prudentes des médecins qui semblaient indiquer que les chances de survie de l'homme étaient
bien minces.

Mathieu se rendit compte que ses doigts frois-
saient nerveusement le journal. Il maîtrisa ses nerfs
et reprit sa lecture, puis entreprit de repasser dans
sa tête tout ce qu'il avait fait le vendredi soir.

L'endroit où il avait donné rendez-vous à Charlie et où il l'avait fait monter dans sa voiture se
trouvait à plusieurs kilomètres de Chyndford, sur
une route peu fréquentée. Ils avaient traversé un
petit village, un simple hameau, à vrai dire, et
Mathieu ne se souvenait pas d'y avoir vu âme qui
vive. C'était l'heure, d'ailleurs, où chacun devait
être chez soi occupé à dîner ou à regarder la télé-
vision, pensait-il.

Après cela, il n'avait plus emprunté que des
chemins vicinaux, puis cette piste qui traversait la
lande, jusqu'à la carrière. Mathieu sentait sa colère
redoubler quand il pensait à la grandeur d'âme
dont il avait fait preuve envers Charlie. Car enfin,
il lui avait bien donné sa chance ! C'était Charlie
lui-même qui, en fin de compte, avait choisi son
destin. Cette pensée lui semblait réduire de moitié
au moins le gravité de son crime.

Après cela, il était revenu à Chyndford, tout
content de la façon dont il s'était tiré d'affaire. Il
était passé chez les Clark, où il avait bu de la
bière en écoutant des disques. C'était un alibi splen-

dide car Sylvia était très préoccupée à cause du
rhume de son fils ; si jamais on l'interrogeait, elle
serait certainement bien incapable de se rappeler
à quelle heure Mathieu était arrivé ou le temps
qu'il était resté. Lorsque Peter, pris, ce soir-là, par
une réunion, était rentré, Mathieu était déjà installé
à boire son demi près du tourne-disque.

Mathieu commençait à se sentir un peu soulagé
en se rappelant tous ces détails. Mais il restait nerveux et il sursauta en entendant sa mère entrer
dans la pièce.

— Dis donc, Mathieu, demanda Lydia, as-tu
pensé à ce que tu vas offrir à Terry et à Jill ?

— Quoi donc ? fit-il, surpris.

— Un cadeau de mariage. Tu vas leur en
faire un, j'espère ? Terry est ton frère et tu seras
son garçon d'honneur. Je me suis dit que, peut-
être, quelque belle pièce d'argenterie classique et
massive...

— Oui, ça me semblerait très bien. Je vais me
mettre à chercher, dit-il, l'esprit ailleurs.

Lydia s'assit tout près de lui.

— Je crois qu'il y a de très beaux magasins à
Chester. J'aimerais bien pouvoir aller voir un peu
les boutiques toute seule, pour ma robe. Enfin,
je veux dire que j'aimerais autant que ce ne soit
par Rose et Sylvia qui la choisissent. Je me suis dit
que nous pourrions aller à Chester tous les deux,
avec ta voiture. Rien que nous deux. Tu en profi-
terais pour chercher de ton côté un cadeau de
mariage.

Cette idée provoqua en Mathieu une réaction horrifiée. C'était en direction de Chester qu'il était parti le vendredi précédent. C'est à Chester qu'il aurait laissé Charlie, si celui-ci n'avait pas fait toute ces difficultés.

— Non ! dit-il, brutalement.

— Comment cela, non ? demanda Lydia, interloquée. Je te demande simplement de m'emmener à Chester. Je prendrai la Mini et j'irai seule. Je dois dire que je n'aime pas beaucoup conduire, mais enfin...

— Tu comprends, maman, je travaille avec John. Nous démontons ce...

— Oui, l'excavatrice, je sais. Mais vous aurez fini demain.

Il réussit à esquisser un faible sourire.

— Sûr. Est-ce que vendredi t'irait ?

Après tout, il y avait d'autres routes pour Chester. Ils pourraient s'y rendre sans traverser la lande.

L'œil de Lydia tomba sur le journal que Mathieu avait lu.

— Tu as vu, cette drôle d'histoire ? remarqua-t-elle. Le pauvre type ! Il faut espérer qu'il s'en tirera. C'est un scandale de laisser cette carrière dans cet état. Après ce drame, il faudra bien que les autorités fassent quelque chose. As-tu lu cette volée de bois vert que ce chef-scout administre au conseil municipal ? Je suis tout à fait d'accord avec lui ! Et je voudrais bien qu'ils prennent leur décision pour le projet Moorfield, aussi. Cela fait des semaines qu'ils tergiversent. Tu sais que la carrière

n'est guère qu'à trois kilomètres du terrain Moorfield ?

Il acquiesça. C'était à cause du terrain Moorfield qu'il avait appris l'existence de la carrière.
John l'avait emmené au terrain, à l'époque où il lui
donnait des leçons de conduite, et, en revenant,
ils étaient passés par la carrière. Ils étaient même
descendus pour aller la voir de près.

— S'ils avaient le moindre bon sens, continua
Lydia, ils profiteraient du projet Moorfield pour
combler cette carrière en même temps. Je me
demande pourquoi je n'y ai pas pensé quand j'ai
envoyé mon devis ! Mathieu, nous passerons vendredi, par là en allant à Chester, et je jetterai un
coup d'œil à cette carrière. Je pourrais encore écrire
au Conseil pour leur faire part de mon idée.

Mathieu frissonna à nouveau. Il se sentait la
bouche sèche. Retourner à la carrière ? Jamais !

Mais, soudain, il se sentit l'esprit remarquable-
ment lucide et il pensa à autre chose. Depuis le
drame, il n'avait pas fait laver sa voiture. Il n'avait
pas fait disparaître les traces de son passage dans
le sol boueux de la lande, des traces sans doute
facilement identifiables. Pourquoi diable n'y avait-il
pas pensé, dès le samedi après-midi ?

S'il emmenait sa mère à Chester en passant par
la lande, cela lui fournirait une explication plausible
de son passage dans ces chemins boueux. Même
si on voyait sur sa voiture les traces de cette argile
qui entourait la carrière, personne ne pourrait
prouver qu'elles étaient plus anciennes.

Du coup, il oublia la répugnance qu'il avait

d'abord ressentie à l'idée de retourner sur les lieux de son crime. Il regarda sa mère avec un sourire affectueux. Cette fois encore, c'était elle qui le tirerait d'un mauvais pas, bien qu'involontairement.

— Entendu, maman ! dit-il gaiement.

CHAPITRE VIII

Lydia passa une excellente journée. Ils se rendirent à Chester, déjeunèrent et se promenèrent en ville. Effectivement, il y avait de beaux magasins, où tout était cher, d'ailleurs. Lydia se sentit un peu perdue parmi toutes les robes qu'on lui présentait — et finit par décider de s'en remettre aux conseils de ses filles. Mathieu trouva son cadeau pour Jill, puis ils s'en retournèrent par la lande ; après quoi, Mathieu, un peu nerveux, conduisit sa mère jusqu'à l'ancienne carrière.

Lydia fronça les sourcils en voyant l'état des lieux, mais descendit de la voiture et regarda autour d'elle.

— Sinistre, cet endroit ! remarqua-t-elle, frissonnant un peu.

Mais elle était trop raisonnable pour se laisser dominer par ce genre d'émotion et son esprit de femme d'affaire reprit vite le dessus. A la réflexion, il lui paraissait bien préférable de ne pas combler cette excavation. Mieux valait, au contraire, l'agrandir considérablement et la transformer en un lac.

On mettrait dessus des barques pour les promeneurs du dimanche ; on pourrait aménager une partie peu profonde en bassin de natation pour les enfants, moyennant une certaine surveillance, bien sûr. L'entreprise Woodley était toute désignée pour s'occuper de ces aménagements.

Elle en parla à Mathieu qui approuva toutes ses propositions avec enthousiasme. Ils rentrèrent chez eux.

Mathieu lut dans le journal du soir que les chirurgiens allaient tenter une opération de la dernière chance sur Charlie, une trépanation particulièrement délicate. Cela lui coupa l'appétit.

Terry rentra de son travail en compagnie de Jill. Ils déclarèrent qu'ils mangeraient rapidement parce qu'ils allaient tout droit à l'appartement. Tandis que Terry montait prendre un bain et se changer, Jill déposa une grosse liasse d'échantillons de papier peint sur la table de la cuisine et invita Mathieu à regarder ceux qu'ils avaient choisis.

Lydia grommelait, mais sans se fâcher.

— Dire qu'il n'y a pas si longtemps, toute la famille se réunissait ici, le vendredi soir. Nous faisions un bon repas en discutant de nos affaires. Maintenant, tout le monde passe en coup de vent. On mange un morceau et l'on s'en va.

— Ce temps-là reviendra, madame Woodley, dit Jill gaiement. Venez voir ce joli bleu, avec des dessins en relief.

Terry et elle partirent bientôt.

— Tu ne sors pas, toi aussi ? demanda Lydia à Mathieu.

— Tout à l'heure. Bill Evans doit passer me

prendre. Nous devons aller ensemble au club de golf.

Presque aussitôt, on entendit la sonnette de l'entrée.

— Je vais ouvrir, dit Mathieu. Ce doit être Bill.

Ce n'était pas Bill. Deux hommes étaient là, sous l'auvent de l'entrée. Des hommes qui n'avaient rien de très particulier, sinon un air indéfinissable que Mathieu reconnut aussitôt.

— Pourrions-nous voir monsieur Mathieu Woodley ? demanda l'un d'eux.

— C'est moi.

— Nous voudrions simplement vous dire deux mots en particulier, monsieur, si cela ne vous fait rien.

L'homme présenta son portefeuille ouvert à Mathieu.

— Nous sommes de la police, dit-il.

Mathieu dut faire un effort terrible, mais il parvint à se maîtriser et à réagir normalement.

— Certainement. Entrez. Que puis-je pour vous ?

Lydia était montée dans sa chambre. Il les fit entrer dans la salle de séjour et leur donna des chaises.

— Monsieur Woodley, nous allons directement au sujet. Nous enquêtons sur l'agression dont Charlie Coram a été victime. Nous avons pensé que vous pourriez peut-être nous aider.

Il les regarda, sans céder à la tentation de détourner les yeux, et trouva la bonne réponse :

— Charlie Coram ? Vous voulez dire ce type, dans la carrière... Mais vous parlez d'agression ?

J'avais cru comprendre qu'il avait simplement fait
une chute ? Comment puis-je vous aider ?

— C'était bien une agression, dit l'inspecteur,
qui paraissait très sûr de son fait, mais qui n'expliqua pas ses raisons. Nous sommes venus vous
trouver parce que... eh bien, parce que vous l'avez
connu, n'est-ce pas, monsieur Woodley ?

Le visage de Mathieu s'empourpra.

— Non ! protesta-t-il, énergiquement.

— Monsieur Woodley, Charlie était en prison,
en même temps que vous, au même endroit...

Mathieu serra les poings.

— Je vois, dit-il. Ah, ça fait plaisir ! Je croyais
que tout cela était terminé. J'ai purgé ma peine.
Je ne désirais qu'une chose : sortir de là et
recommencer à vivre. J'ai même changé de nom,
ou plutôt, ma mère en a changé pour moi. Je suis
venu ici, vivre avec les miens, travailler avec eux.
Et voilà que la police recommence à me persécu-
ter et... Comment avez-vous découvert que j'étais
ici, à propos.

— Mais nous ne vous persécutons nullement,
monsieur Woodley ! Bien sûr, nous sommes parfaitement au courant de la façon dont vous avez changé
de nom. Le directeur de la prison connaissait votre
famille et cette adresse. Tout ce que nous voudrions savoir, c'est si Charlie Coram est entré en
contact avec vous ? Nous essayons de nous renseigner sur lui, et nous nous adressons au seul
homme qui pourrait peut-être nous dire quelque
chose. Ce type a été victime d'une agression, peut-
être d'un meurtre. Nous avons lancé un appel pour
avoir des renseignements sur lui. Tout ce que nous

savons, c'est qu'à sa sortie de prison, il a trouvé
un emploi qu'il a abandonné brusquement pour
réapparaître ici. Or vous êtes ici, vous aussi. Alors,
est-il entré en contact avec vous ?

— Non ! protesta énergiquement Mathieu. Je
ne le connaissais pas. Je suis resté longtemps en
prison — dix ans — et j'ai vu passer des centaines,
peut-être des milliers d'hommes. Comment pour-
rais-je les avoir tous connus ?

— Donc, vous ne pouvez pas nous aider.

Ils se levèrent.

— Sa logeuse nous a dit qu'il allait souvent
boire une chope à l'auberge de « la Couronne »,
le soir.

— Il m'arrive d'y aller, moi aussi. Cela ne veut
pas dire que je le connaissais ou que je l'aie reconnu.

— Nous posons des questions, monsieur Woodley. C'est tout. Il est possible que cet homme meure.
Dans ce cas, il y aura eu meurtre, n'est-ce pas ?

— D'après ce que disaient les journaux, j'avais
compris qu'il s'était blessé en tombant dans la carrière, répéta Mathieu, têtu.

— Oh, non ! Les chirurgiens nous ont affirmé
sans risque d'erreur qu'il avait été frappé deux
fois, sur la tête. Bien entendu, il se peut qu'il s'en
tire, bien qu'il ait peu de chances. Dans ce cas,
il pourra nous dire comment cela s'est passé.

Par un effort surhumain, Mathieu garda le
contrôle de ses nerfs. Pas un muscle de son visage
ne bougea. Les deux hommes l'observaient attentivement.

— Eh bien, espérons qu'il s'en tirera, dit-il
doucement.

Ils le saluèrent d'un hochement de tête et s'en allèrent.

— Il a l'air un peu nerveux, tu ne trouves pas ? remarqua l'un des deux policiers.

— Oui, mais cela peut se comprendre. Il n'a pas dû êre content de voir que nous connaissions son vrai nom et son passé. Cela peut suffire à expliquer sa nervosité.

— Exact. Mais que diable Charlie Coram est-il venu faire à Chyndford ? Cela ne lui ressemble guère...

Mathieu se servit un whisky et l'avala d'un trait pour calmer ses nerfs.

Sa mère entra dans la pièce et lui jeta un regard étrange.

— Que faisaient-ils ici ? demanda-t-elle.

— Qui ? répliqua-t-il.

Lydia fronça les sourcils.

— Ne cherche pas à me mener en bateau, Mathieu ! La police. Je les ai vus de la fenêtre de ma chambre. Je connais ces deux gaillards-là. Ils appartiennent à la police criminelle. Que voulaient-ils ?

L'esprit tortueux de Mathieu chercha une dérobade devant cette attaque directe. Il eut beau faire marcher son cerveau à toute vitesse, il ne trouva rien. Il avait hésité trop longtemps, d'ailleurs. Sa mère se laissa tomber sur une chaise. Elle le regardait fixement.

— Ils sont au courant, pour moi, maman, balbutia-t-il. Ils savent que nous avons changé de nom, et... Enfin, tout le reste.

— Je sais qu'ils sont au courant, répliqua-t-elle.

Le Superintendant lui-même est venu me voir. Il
s'est montré très aimable. Alors, que voulaient-ils
savoir ?

— Il paraît que Charlie Coram... ce type
qu'on a retrouvé dans la carrière... purgeait une
peine de prison au moment où j'y étais moi-même,
dit-il d'une voix heurtée. Ils voulaient me demander
si... si je le connaissais.

— Et tu le connaissais, Mathieu ? demanda
Lydia, après un silence bref, mais terrible.

Elle attendait la réponse, les mains crispées
sur ses genoux.

— Bien sûr que non ! se récria-t-il, avec tant
de véhémence que cela sonna vrai.

D'ailleurs, dans son esprit, c'était vrai. Il
n'avait pas connu Charlie en ce sens qu'il ne l'avait
jamais fréquenté.

Lydia le regardait fixement, sans ciller. Cela lui
faisait perdre contenance. Il n'y avait aucun repro-
che, aucune accusation, dans les yeux de sa mère.
Il n'y avait rien.

— Mais te connaissait-il, lui ? demanda-t-elle
doucement.

Il voulut nier à nouveau, mais les mots se re-
fusèrent à quitter ses lèvres. Il n'eut pas besoin de
parler. Sa mère avait compris. Elle ne bougeait
pas, assise devant lui, et elle le regardait s'effondrer
sous ses yeux.

Elle comprit, en cet instant révélateur, tout
ce qui s'était passé.

— Il te faisait chanter, naturellement, dit-elle
doucement.

Et, assez curieusement, tout comme Mathieu

avait ressenti une impression de soulagement après
s'être débarrassé de Charlie, sa mère sentit une
sorte de paix bizarre s'emparer d'elle.

Sans doute parce qu'elle savait qu'elle était
désormais délivrée de son cauchemar, pour la
bonne raison qu'il s'était réalisé. Cela ne s'était
pas passé comme elle s'y attendait, mais c'était
arrivé.

Lydia comprit à ce moment qu'il ne pourrait
jamais y avoir de bonheur pour elle.

— C'est toi qui as fait cela, Mathieu, insista-
t-elle.

Ce n'était pas une question ; c'était une cons-
tatation. Elle observait son fils d'un air détaché et
se demandait pourquoi elle ne sentait rien, alors
qu'elle aurait dû être littéralement bouleversée par
des émotions diverses.

Mathieu leva lentement la main et la mit devant
son visage.

« Oui, pensa-t-elle, tu as raison, Mathieu, de
te voiler la face. Voile-toi la face ! »

La sonnerie soudaine de la porte d'entrée fit
sursauter Lydia.

— Qui est-ce ? murmura-t-elle.

— Ce doit être Bill Evans, répondit Mathieu
d'une voix rauque. Je... Nous allons...

— Tu ne vas nulle part ! Tu montes dans ta
chambre ! coupa-t-elle, comme si elle avait affaire
à un enfant. Monte immédiatement. Je renverrai
Bill. Je lui dirai que tu es un peu souffrant ; que tu
as un gros rhume.

Il quitta la pièce, docilement. Elle attendit qu'il
eut disparu, puis alla ouvrir. Elle sourit et s'entre-

tint normalement avec le jeune homme gai qui
avait sonné, mais elle ne l'invita pas à entrer. Elle
dit que Mathieu avait pris froid, et qu'il était monté
se coucher. Bill s'en alla. Elle monta à son tour et
trouva son fils étendu tout habillé sur son lit, le
visage crispé dans une expression étrange, mêlée de
honte et de révolte.

— Maintenant, dit-elle, vas-y ! Explique-toi. Je
veux savoir tout ce qui s'est passé.

Il le lui raconta, froidement, sans plus d'émotion que s'il rapportait une histoire qu'il avait lue.
Mais, quand il eut terminé, il ne put résister au
besoin d'essayer de se justifier.

— Je pensais à toi, maman. A mes sœurs, à
leurs enfants. Et à Terry, à Jill. Je ne voulais pas
qu'il vous fasse chanter. Je connais ce genre d'indi-
vidu.

Oui, pensait-elle. Il sait ce que valent ces gens-
là. Mais se connaissait-il lui-même ? Sous le regard
fixe de Lydia, les yeux de Mathieu finirent par se
dérober.

Quand il était entré par effraction dans cet
entrepôt, dix ans auparavant, mettant en marche
la chaîne d'événements qui aboutissait à cette minute
présente, il n'avait voulu que voler, mais cela avait
fini par un meurtre. Cette fois, il avait prémédité
le meurtre. Il avait réduit un homme en charpie,
mais il ne l'avait pas tué. Oui, quel genre d'indi-
vidu était-il, cet être qui était son fils ?

Elle n'essaya même pas de lui faire comprendre
qu'elle n'avait jamais compté sur personne d'autre
que sur elle ; si une chose pouvait lui faire horreur,
c'était bien qu'on prétende tuer en son nom.

— Je devrais m'en aller, maman. Tout de suite. Vous laisser tous tranquilles. Je ne fais que porter malheur à tout le monde. Je partirai pour l'Australie. Ça serait drôle, non ?

Mais il ne riait pas, et cela ne la faisait pas rire non plus.

— Ils ne voudraient pas de toi, en Australie, lui dit-elle avec une froide brutalité. Avec ton passé... Tu vas te déshabiller et te coucher. Tu as un gros rhume, avec de la température. N'est-ce pas ? Alors, fais comme si c'était vrai. Tu es un excellent comédien. Je vais t'apporter du lait et un somnifère.

Elle lui montra deux pilules de somnifère, pour plus de sûreté. Pour le moment, elle ne voyait rien de mieux que de le faire dormir. Au moins, elle saurait où il était et ce qu'il faisait.

Finalement, elle descendit et s'approcha du téléphone. Elle cherche le numéro de l'hôpital et commença à le composer. Pendant la terrible prise de conscience de ce nouveau drame, elle s'était rendu compte aussi qu'elle avait une nouvelles responsabilité, envers Charlie Coram. Elle avait l'impression qu'il était devenu un membre de la famille.

Mais, avant d'avoir achevé de composer le numéro, il lui vint à l'esprit que la police surveillait peut-être les coups de téléphone des gens qui se renseignaient sur le blessé. Elle raccrocha. Il fallait mettre la police au courant, bien sûr. Mais il fallait le faire franchement, pas par des moyens détournés.

Elle décrocha à nouveau, pour former cette fois le numéro de la police, mais, de nouveau, elle rac-

crocha avant de terminer. Oui, il fallait que la
police sache, se répétait-elle...

Mais pas encore. Elle s'éloigna du téléphone et
rentra dans la cuisine.

Mathieu était toujours son fils, tout de même.

Madame Taylor comprenait maintenant pourquoi
Charlie Coram ne lui avait jamais dit un mot sur
sa vie ou sur son passé ; tout le monde, en effet,
savait désormais que c'était un ancien détenu. Mais
la brave dame avait une nature charitable et ne voulait se souvenir que d'une chose : sa conduite, chez
elle, avait été exemplaire et il lui avait payé régulièrement son loyer.

Pour elle, Charlie était un homme qui avait sincèrement essayé de repartir de zéro, et elle le dit à
la police. A son avis, c'était pour cela qu'il était
venu à Chyndford. Elle ne comprenait pas pourquoi
ils trouvaient si bizarre qu'il se soit installé dans ce
trou.

Elle refusa tout net de parler de Charlie aux
journalistes, si bien que bientôt, ils trouvèrent d'autres sujets plus palpitants et la laissèrent tranquille.
Chaque jour elle allait à l'hôpital. Elle avait trouvé
une alliée en Mme Wendell, qui l'accompagnait et
restait tranquillement assise dans un couloir tandis
qu'elle allait regarder Charlie à travers sa tente à
oxygène. On avait maintenant retiré certains des
pansements qui lui avaient d'abord presque entièrement couvert le visage, si bien que son identité

ne pouvait plus faire de doute. Mais il ne bougeait
toujours pas et ne donnait aucun signe de vie.

Madame Taylor n'y attachait pas d'importance.
Elle était persuadée que sa simple présence pouvait
être ressentie par le blessé et l'aider à s'accrocher
à la vie. Elle restait donc là longtemps à côté de
son lit, à regarder par la partie transparente de la
tente, jusqu'au moment où elle allait rejoindre Muriel.

A chacune de ses visites, elle apportait un bouquet de fleurs cueillies dans le jardin d'Hester
Pagett. Cette dernière avait insisté pour qu'à leur
retour, Muriel ramène Mme Taylor au cottage, où
elle leur préparait un repas fin.

En fait, le triste sort de Charlie Coram avait
eu quelques heureux effets. De toute sa vie, Mme
Taylor n'avait bénéficié d'autant d'attentions. Et
puis, cela changeait les idées d'Hester Pagett, plon-
gée dans les préparatifs d'un mariage qui lui déplaisait, mais qu'elle souhaitait digne de la situation
sociale des Pagett.

Ce fut probablement grâce à la diversion que lui
procurèrent les visites de Mme Taylor qu'elle oublia
de demander à l'évêque lui-même de bénir le mariage
de Jill.

Sous l'influence adoucissante de toute cette gentillesse, de la bonne chère, de la charmante vieille
maison, Mme Taylor commença à se détendre et à
se rappeler des petits détails, peu importants, qu'elle
n'avait pas pris la peine de rapporter à la police.

— Charlie aimait beaucoup votre maison, mademoiselle Pagett, remarquait-elle, sans se rendre
compte qu'elle parlait de lui comme s'il était déjà

mort. Il faisait tout le chemin à pied pour venir la
regarder ; et c'est pourtant loin de chez moi, et ça
monte.

Hester ne bronchait pas. Elle était habituée depuis longtemps à voir les gens s'intéresser à sa maison, mais elle ne savait pas très bien si elle devait
se réjouir de l'intérêt que lui avait porté cet homme
qui avait fait de la prison.

— C'était juste après les fiançailles de Jill avec
le jeune Terry Woodley, continuait Mme Taylor.
Je m'en souviens, parce que... enfin, Charlie aimait
bien bavarder. Et, comme il était nouveau venu à
Chyndford, il s'intéressait à... enfin, à tout ce qui
s'y passait. Comme un homme qui pense à se fixer
et à mener une vie convenable. Quand, les photos
des jeunes gens avaient paru dans la *Gazette,* nous
en avions parlé. De plus, Terry Woodley se rend
quelquefois à l'auberge de « la Couronne », où je
travaille le soir. Il est souvent accompagné de son
frère Mathieu, celui qui revient d'Australie. Alors,
tout ça est si romanesque, quand on y pense... Jill
vit dans cette vieille maison, et les Woodley ont été
si pauvres, jadis...

A la fin de cette longue tirade, son débit se
ralentissait et elle commençait à se rendre compte
qu'Hester la regardait d'un drôle d'air.

Elle se souvenait trop tard que Charlie avait
fait de la prison pour vol et se rendait compte que
cela pouvait ne pas sembler bien rassurant de savoir
qu'il s'intéressait de trop près à cette maison. Elle
craignait d'avoir été trop bavarde.

— Enfin, il aimait beaucoup Chyndford, conclut-elle tristement. Il disait que c'était un endroit tranquille, paisible.

Hester se pencha en avant.

— Madame Taylor, pourquoi Charlie Coram est-il venu à Chyndford ? demanda-t-elle. Qu'est-ce qui lui a donné cette idée ?

C'était la question que la police lui avait déjà posée et à laquelle elle avait été bien incapable de répondre. Elle ne put que hocher tristement la tête.

Hester, qui se souvenait d'avoir rêvé un jour de voir Jill mariée par l'évêque, était plutôt contente, maintenant, de ne pas avoir fait cette démarche.

*

— Que dois-je faire ? Seigneur, dites-moi ce que je dois faire ! priait Lydia.

Mais le Seigneur lui avait déjà dit ce qu'elle devait faire, et elle avait désobéi.

Elle retint Mathieu à la chambre pendant tout le week-end et raconta à tout le monde qu'il était grippé. Personne n'aurait eu l'idée de douter de sa parole. Ses filles ne manifestèrent aucune velléité de rendre visite à leur frère, de peur de rapporter des microbes et de contaminer leurs enfants. Terry vivait dans un autre univers : il signait le bail de l'appartement, discutait avec Jill mobilier et décoration, faisait des projets pour leur lune de miel. Enfin, il nageait dans le bonheur. Si bien qu'il se contenta de passer la tête par la porte de la chambre de son frère et de lui lancer :

— Comment te sens-tu, mon vieux ? Au trente-sixième dessous ? Ne t'en fais pas ; tu seras bientôt d'aplomb. Tu connais maman : elle aura ta peau ou elle te guérira.

Et il n'insista pas davantage.

Lydia restait sur ses gardes. Elle se comportait exactement comme si Mathieu avait réellement la grippe. Elle le nourrissait très peu et pensait que c'était encore trop si l'on pensait que Charlie Coram ne se nourrissait probablement que par perfusion. Et elle continuait à lui administrer des somnifères. Elle avait besoin de temps pour réfléchir.

Mathieu se soumettait sans broncher à tout ce qu'elle lui imposait. Il aurait voulu être mort.

Mais Lydia avait beau se donner du temps et réfléchir, elle ne trouvait pas de réponse. Et ses prières ne la menaient à rien non plus, pour la bonne raison qu'elle savait ce qu'elle aurait dû faire, et qu'elle ne l'avait pas fait.

Le lundi, il lui fallut prendre une décision. Ou bien elle autorisait Mathieu à « aller mieux », ou bien elle faisait venir le médecin. Elle opta pour la première solution et lui ordonna de prendre un bain, de s'habiller et de descendre.

Mais, pendant ce temps, la situation avait évolué. Au moment même où Lydia, plantée devant le lit de son fils, lui disait froidement de se lever, à quelques kilomètres de là, à l'hôpital, on préparait la salle d'opération pour une très délicate intervention sur la tête fracassée de Charlie Coram.

C'était vraiment l'opération de la dernière chance. Elle allait être effectuée par une équipe hautement spécialisée, devant un parterre d'étudiants de dernière année.

Ils travaillèrent des heures, mettant en œuvre

leur science, une longue expérience, et une habileté
audacieuse. A la fin de l'opération, Charlie n'était
pas plus vaillant qu'avant, mais sa valeur intrinsè-
que s'était accrue. Les morceaux fracassés de son
crâne avaient été remplacés par une plaque d'argent.

A compter de ce jour, les visites que Mme
Taylor rendait quotidiennement à l'hôpital furent
suspendues. Mais Charlie eut droit à une garde per-
manente, sous la forme d'un agent de police, installé
à l'intérieur même de sa petite chambre, à côté de
la porte.

*
**

Mathieu descendit, l'air bien reposé après ce
week-end au lit. Il n'osait pas lever les yeux vers
sa mère.

Lydia l'examinait et se demandait si elle l'aimait ou si elle le haïssait. Un beau garçon, charmant, un faible, un instable, avec des instincts criminels. Soudain, elle se décida.

— Prends ton imperméable, Mathieu. Tu vas
au commissariat de police. Apporte-moi mon man-
teau, aussi. Je t'accompagne.

— Non ! se récria-t-il, horrifié. Non, maman !
Je ne peux pas faire ça ! Tu ne sais pas ce que tu
dis ! Tu ne comprends donc pas ce qui m'arriverait,
ce qui vous arriverait à vous tous ?

— Je comprends qu'on ne peut pas te faire
confiance. Tu me fais peur !

— Moi, te faire peur ! Toi, que j'aime si ten-
drement ! Je vous aime tous ! Je ne désire qu'une
chose, c'est qu'il ne vous arrive plus rien, que vous

n'ayez plus de souffrances à supporter. Grands
dieux, ne peux-tu me croire quand je t'affirme que
c'est à vous que je pense d'abord ? Est-il vraiment
besoin que je te dise ce qui arrivera, si je me livre ?
Vous serez ruinés, tous. Vous vous retrouverez sur
le pavé, obligés de fuir une fois de plus. Tout cela
à cause de moi, et... Et je n'en vaux pas la peine,
maman.

Sa voix exprimait une contrition sincère qui
frappa Lydia. Elle le regardait sans rien dire. Il
continua :

— Pense à ces pauvres gosses, aux enfants de
Sylvia et de Rose ! Pense à mes sœurs ! Pense à
Terry et à Jill ! Vois comme ils travaillent dur, et
comme ils s'aiment ! Tu sais, quand je suis revenu
à la maison, j'ai été pris d'une jalousie folle en
voyant Terry. Si je suis devenu un peu amoureux de
Jill, c'est parce qu'il m'avait dit qu'il avait des vues
sur elle, rien de plus. J'ai beaucoup mûri, depuis
quelques semaines. Je finissais même par attendre
avec impatience ce grand mariage, imaginant comment je pourrais me conduire pour que vous soyez
tous fiers de moi.

— Tu mens ! coupa Lydia, brutalement.

Pourtant non, il ne mentait pas. Il n'avait même
jamais été aussi sincère. Il se mordit la lèvre et
détourna les yeux.

— Tu te cherches des excuses en voulant faire
croire que tu as pensé aux tiens, dit-elle, cruelle-
ment. Tu ne te rends même pas compte que tu as
fait quelque chose de mal. N'ai-je pas raison ?

— Mais je n'ai rien fait de mal, maman ! Je
sais trop ce qui serait arrivé si j'avais cédé à

Charlie Coram. Il demandait un emploi dans votre entreprise. Quel emploi aurait-il été capable d'occuper, je te le demande ? Il est tout juste bon à balayer et à porter des paquets.

— Eh bien, c'est un travail important, dans toute entreprise, répliqua-t-elle. Il nous manque justement un homme à tout faire, qui tiendrait le chantier propre.

— Bon, c'est entendu, dit-il vivement. Mais tu ne comptes pas payer ton balayeur au tarif d'un directeur général, n'est-ce pas ? C'est ce que Charlie t'aurait demandé. Et il aurait suffi qu'on lui dise quelque chose qui lui déplaise pour qu'il se mette à répandre des bruits fâcheux. Il aurait vite fini par faire de vous — de vous tous — ce qu'il aurait voulu. Il nous aurait tous tenus à sa merci.

Il avait refermé sa main autour d'une prise imaginaire, pour montrer comment Charlie les aurait tous tenus. Mais Lydia hocha la tête, désespérant de se faire comprendre de Mathieu.

— Rien de tout cela ne te donnait le droit de faire ce que tu as fait, dit-elle. Cela ne change rien. Tu vas te livrer...

— Non ! coupa-t-il, d'un ton passionné. Je ne me livrerai pas ! Ecoute, je m'en irai, si cela t'arrange. Je disparaîtrai, simplement, et...

— Si tu t'avises de faire cela, répliqua-t-elle, je me chargerai de prévenir la police, personnellement. Tu ne pourras aller nulle part. Tu ne peux même pas quitter le pays : tu n'as pas de passeport. Tu ne peux te cacher nulle part.

Il suffoquait.

— Comment peux-tu me faire ça, toi ? demanda-

t-il. Ecoute, maman, Charlie va mourir. Il ne peut
plus résister bien longtemps. Nul ne sait rien, ex-
cepté toi.

Lydia ne répondit pas. Son visage était de pierre.
Mathieu abandonna la lutte.

— Attends au moins que Terry et Jill soient
mariés, dit-il. Ce n'est pas un mois de plus qui
changera quelque chose. Bon, c'est entendu, je ne
m'en irai pas. Mais arrange-toi au moins pour que je
ne fasse pas plus de gâchis que je n'en ai déjà fait !

Cette fois, elle ne trouva rien à répondre. Elle
regarda son fils, et son cœur, qui en avait vraiment
trop supporté, la trahit. Ses yeux se remplirent de
larmes qui roulèrent sur ses joues, amères comme
les douleurs qu'il lui avait déjà infligées.

Alors, Mathieu succomba lui-même à son émotion. Il prit sa mère dans ses bras et la serra contre
lui.

— Je t'en prie, maman ! supplie-t-il. Ne pleure
pas ! Je te promets, sincèrement... Je te jure...

Il soupira.

— Aide-moi, maman ! chuchota-t-il. Aide-moi !

Mais le téléphone sonna. Elle se dégagea des
bras de son fils, sans lui répondre, et alla décro-
cher.

« — C'est vous, madame Woodley ? Bonjour !
Ici, Hester Pagett. Jill m'a dit que Mathieu était
malade. Comment va-t-il ? »

Au téléphone, sa voix paraissait encore plus
distinguée.

« — Il va mieux, merci, dit Lydia, qui avait
du mal à parler. Il est levé. »

« — Vous m'en voyez bien contente. Je me de-

mandais si vous aviez trouvé le temps d'établir la
liste de vos invités ? »

« — Je suis justement en train de m'en occuper. »

« — Ah, bien. C'est pour le traiteur, surtout,
n'est-ce pas ? Même si vous ne pouvez me donner
qu'un nombre approximatif, cela suffira, pour le
moment. »

« — Certainement. Je vais calculer cela, en gros,
et je vous le ferai parvenir par Jill ou par Terry »,
promit Lydia.

Quand Hester Pagett eut raccroché, Lydia s'at-
tarda près du téléphone. Elle comprenait qu'elle
n'irait pas prévenir la police, qu'elle n'obligerait
pas non plus Mathieu à le faire lui-même. Elle se
disait qu'elle ne valait pas mieux que son fils.

« Charlie va mourir. Il ne peut plus résister
bien longtemps », avait dit Mathieu. Pour qui se
prenait-il donc pour se poser ainsi en maître de la
vie ou de la mort d'un homme ? Mais qui était-
elle, elle-même, pour désirer la mort de cet homme ?

Elle avait cru toucher le fond du malheur, autrefois. Elle savait maintenant qu'elle s'était trompée.

Elle retourna à la salle de séjour où Mathieu
était resté debout, immobile. Elle vit qu'il souffrait
terriblement, lui aussi, mais elle n'avait pas pitié de
lui.

Elle ne reprit pas la conversation où ils l'avaient
laissée.

— Monte te changer ! commanda-t-elle. Mets
tes vêtements de travail et file au chantier. Si John
n'a pas de travail à te donner, prends un balai et
nettoie la cour. C'est une honte, l'état dans lequel

elle est. N'attends pas que je m'y mette moi-même !

Mathieu comprit qu'il bénéficiait d'un sursis,
mais que ce n'était qu'un sursis. Il devinait parfaitement que sa mère était en proie à des sentiments
contradictoires et il n'avait absolument aucun moyen
de savoir de quel côté la balance pencherait finalement. Il sortit. « Meurs, Charlie ! Meurs ! » pensait-il, rageusement.

Lydia alla s'asseoir devant son petit bureau.
Elle était profondément découragée et ne savait que
faire. Il y avait sur le sous-main des notes qu'elle
avait prises en vue d'une lettre au Conseil municipal pour l'affaire de la carrière. Elle reprenait les
arguments du chef-scout Purdy, pour appuyer les
propositions qu'elle comptait faire pour l'aménage-
ment de la carrière abandonnée.

Elle prit les notes, les froissa, les jeta. Sur une
feuille blanche, elle entreprit de dresser la liste des
invités au mariage de Terry et de Jill ; mais, quand
elle eut énuméré tous les membres de sa famille,
elle ne trouva personne d'autre à ajouter.

Pourquoi faisait-elle cela, d'ailleurs ? Mieux valait
laisser ses filles, Terry ou Jill s'en occuper. Elle
repoussa ce papier puis, reprenant les notes qu'elle
avait jetées, elles les défroissa et essaya de se concentrer.

Mais elle ne put arriver à rien. La simple idée
de cette carrière la rendait malade physiquement.

Elle laissa tomber sa tête dans ses mains et se
remit à pleurer, désespérément.

CHAPITRE IX

La liste des invités fournie par la famille du
fiancé parut extrêmement intéressante à Hester Pagett en ce qu'elle ne contenait pas un seul nom
qu'elle ne connût déjà. Tous les invités étaient des
gens de Chyndford, surtout des jeunes, des amis
des enfants de Lydia Woodley.

Terry n'avait donc pas d'oncles et tantes, pas
de cousins ? Pas de grands-parents âgés ? Pas un
seul vieil ami de la famille, de ces gens qu'on est
obligé d'inviter à un mariage ?

C'était à croire, que pour tous ces Woodley, la
vie avait commencé le jour de leur arrivée à Chyndford, dix ans auparavant.

Hester rapporta ce fait curieux à Muriel Wendell, qui n'attendait plus que le départ de Jill pour
s'installer au cottage, où elle passait déjà une grande
partie de son temps. Elle était d'un grand secours
pour les préparatifs du mariage, à la différence de
la mère de Terry, qui ne prenait vraiment aucune
initiative.

Hester avait fait ses confidences à Muriel, qui

savait combien elle avait été déçue de voir Jill
choisir ce fiancé ; elle savait aussi combien Hester
se méfiait de la famille Woodley.

— Muriel, demanda Hester, avez-vous jamais
entendu parler de gens qui n'ont absolument aucune
famille, même pas de vieux amis, à inviter à un
mariage ?

Muriel Wendell aimait bien Terry Woodley.
D'ailleurs, elle avait une nature bienveillante et la
plupart des gens lui plaisaient bien. Et puis, elle
commençait à se dire qu'Hester faisait vraiment
un peu trop d'embarras pour le mariage de Jill,
d'autant plus qu'elle insistait pour en payer tous
les frais. C'était son devoir, disait-elle. Muriel se demandait si Hester n'était pas un peu masochiste.

Elle ne savait pas qu'une idée analogue était
déjà venue à Lydia, qui avait résolu la question en
remettant un chèque à Jill. Elle avait regardé Jill
bien en face et lui avait dit que c'était une prime
pour son travail de secrétariat. Jill, qui comprenait
très bien Lydia, n'avait fait aucune difficulté pour
accepter le chèque, qu'elle avait simplement remis
à sa tante.

— A votre place, Hester, je ne me ferais pas de
souci pour cela, dit simplement Muriel. Il faut prendre les gens comme ils sont, n'est-ce pas ? Les
choses ont bien changé, depuis notre jeunesse. A
mon avis, il suffit de regarder Terry pour voir que
c'est un brave jeune homme, beau et honnête. Que
peut-on demander de plus ?

Hester demandait plus, mais elle n'en dit rien.
Elle devait d'ailleurs avoir bientôt matière à confidences plus sérieuses avec son amie Muriel.

Elle reçut une lettre d'une vieille amie de pension, Mme Ford-Blayne, qu'elle n'avait pas vue depuis plusieurs années mais avec laquelle elle entretenait une correspondance régulière. Celle-ci écrivait :

« *Je suis bien contente d'apprendre que cette chère petite Jill va se marier. Comme vous pouvez vous en douter, je lui souhaite tout le bonheur du monde. Mais, d'après ce que vous me dites, son fiancé paraît être un jeune homme vraiment digne de confiance. J'aurai bien voulu pouvoir accepter votre invitation, mais vous savez que je souffre de plus en plus de mon arthrose et que tout voyage un peu long m'est désormais interdit. Bien entendu, je penserai particulièrement à vous pendant ce beau jour. Je sais comme vous avez toujours été dévouée pour Jill, ma chère Hester, mais je suis certaine que, non seulement vous ne perdez pas une nièce, en la circonstance : vous devez y gagner un neveu. Je suis heureuse d'apprendre que Muriel Wendell va venir s'installer au cottage avec vous. Muriel a toujours été une charmante amie. Que de fois je pense à ces jours heureux où nous étions jeunes compagnes de classe dans la petite institution privée de William !*

« *Ce que vous me dites au sujet du frère de Terry, Mathieu, m'intrigue un peu. Vous dites qu'il a occupé un emploi dans l'administration à Perth, en Australie.*

« *Mon frère Denis est à la maison, en ce moment, en congé. En tant que consul de Grande-Bretagne à Perth, il connaît évidemment chacun des membres du personnel administratif de cette ville. Je lui ai montré votre lettre. Or ce nom de Mathieu*

Woodley ne lui dit absolument rien. Il ne voit pas dans quel poste il aurait pu servir. Naturellement, Denis peut se tromper. J'ai cru comprendre que le nombre des fonctionnaires anglais employés à Perth était très important...

« Il se peut bien que la mémoire de Denis ne soit plus aussi bonne qu'elle l'a été. Il vieillit comme tout le monde, n'est-ce pas ? Il prendra sa retraite dans deux ans.

« Je vous souhaite à tous la plus heureuse journée possible. Je serais ravie si, lorsque tout sera terminé, Muriel et vous pouviez venir me voir, à Bournemouth. Vous me raconteriez tout, vous me montreriez les photos du mariage. Nous pourrions rattraper, en bavardant ensemble tout le temps perdu... »

Hester montra cette lettre à Muriel.

— Avez-vous lu ce qu'elle dit de Mathieu Woodley ? demanda Hester, dont cette lettre avait ranimé les soupçons.

Muriel fit la moue.

— Oui, dit-elle. Mais cela ne signifie pas grand-chose. Ou bien Denis n'a pas connu Mathieu, ou bien il ne se rappelle plus son nom.

— Cela pourrait aussi vouloir dire que Mathieu Woodley n'a jamais été à Perth, répliqua Hester.

— Vraiment, croyez-vous que cela ait une importance quelconque ? explosa Muriel. Peut-être était-il à Perth, mais pas dans l'administration. Vous savez, il arrive aux gens de dire des... enfin, pas tout à fait la vérité. Peut-être même, n'était-il pas là-bas. Cela a-t-il de l'importance ?

Oui, cela avait de l'importance pour Hester,

parce que cela ressemblait bien à un mensonge. Et son expérience lui avait appris que, lorsque les gens mentaient, c'était généralement pour cacher quelque chose.

Cela avait aussi de l'importance parce que c'était sa nièce qui épousait un membre de cette famille bizarre, dont on ignorait absolument le passé. Une famille « impossible », pour des gens comme il faut.

Hester n'était pas plus sotte qu'une autre. Elle avait de la perspicacité et de la logique — et tout le temps voulu pour réfléchir à ce qu'elle avait appris. Elle n'y manqua pas.

**
*

Lourdement, comme si elles avaient à soulever un poids considérable, les paupières de Charlie Coram se soulevèrent. La petite infirmière assise au chevet de l'opéré appuya sur un bouton de sonnette.

Les yeux pâles de Charlie regardaient sans rien voir qu'une espèce de brouillard. Dans son cerveau, des rouages se remettaient en action paresseusement, comme des mécanismes rouillés. Il entendit un bruit, la porte s'ouvrait et se refermait, sous une main discrète. Le brouillard se précisa un peu, prit la forme d'un visage qui s'approchait tout près du sien.

C'était le visage du médecin responsable de lui. Un visage en longueur, grave, avec une petite barbe. D'une façon générale, ce visage ressemblait un peu à celui de l'aumônier de la prison, qui officiait le

dimanche à la chapelle, pour les détenus. Charlie
assistait régulièrement aux offices. Il aimait les
cantiques, les homélies, et il considérait le Révérend
David comme un ami, un de ses rares amis.

Dans sa demi-conscience, il crut reconnaître le
visage penché vers lui. Il essaya de sourire et de
saluer d'un signe de tête, mais c'était un effort au-
dessus de ses moyens. Il replongea dans son brouillard, mais il avait vu les lèvres bouger, dans ce
visage penché sur lui, et il avait entendu distinctement des mots.

Le médecin lui avait parlé, en effet. Il lui avait
dit :

— Bonjour, Charlie. Comment allez-vous ?

Mais ce que Charlie avait entendu était bien
différent. C'étaient des mots qui sortaient de ses
propres lèvres. Pas très bien articulés, mais tout à
fait distincts :

— Notre sermon, ce matin, sera tiré de l'Evan-
gile selon Saint Mathieu, avait dit Charlie.

Le sergent de police Jim Frame, quand on lui
rapporta ces premiers mots de Charlie, fit un bond.

— Il a dit cela, vraiment ? se récria-t-il. Nom
d'un chien ! Mathieu ! Il nous a désigné Mathieu
Woodley !

— Du calme, Jim ! répondit l'inspecteur Barnes. Cela ne veut rien dire. Il délirait. Le médecin
me l'a assuré. Des mots qui échappent à un homme
pendant son délire ne peuvent pas être considérés
comme une preuve.

— Mais il a prononcé son nom, voyons ! Les
gens disent souvent la vérité, au contraire, quand
ils délirent.

— Tu as l'air de tenir particulièrement à ce
que ce soit Mathieu Woodley le coupable. Ce n'est
pas bon.

— J'ai l'impression que c'est lui, c'est tout,
grommela le sergent Frame. Tout ce que nous avons
rassemblé jusqu'ici comme éléments semble le dési-
gner, lui et personne d'autre. Nous avons même
trouvé de la boue argileuse sur les pneus de sa voiture quand nous sommes allés le voir, de la boue
qui venait de la carrière.

— C'est exact, mais il s'était effectivement rendu
à la carrière ce même jour, avec sa mère. Elle a elle-
même fait allusion à cette visite dans sa lettre ouverte à la *Gazette*.

Dépité, le sergent Frame se mordit la lèvre.

— Tu ne crois pas que sa mère serait dans le
coup, non ? demanda-t-il.

— Madame Woodley ? fit Barnes, haussant les
épaules. Je la connais depuis des années. S'il y a
quelqu'un de régulier, d'honnête dans le pays, c'est
bien elle. Il est vrai, qu'on ne sait jamais ce que
les gens peuvent faire... Non, moi, vois-tu, je garde
mon esprit ouvert à toutes les hypothèses. Tu ferais
bien de faire comme moi, Jim. Cela vaudrait beaucoup mieux ! Parce que tes « idées » ne constituent
pas des preuves.

Lydia regardait la vérité en face. Elle n'avait pas
pu se résoudre à livrer son fils à la police, et cela lui
avait fait franchir la ligne de démarcation entre le
bien et le mal.

Elle en ressentait une colère qu'elle passait sur Mathieu en lui assignant les pires tâches, les plus avilissantes qu'elle pouvait trouver. Au point que John s'en aperçut et lui en fit des reproches.

— Qu'est-ce qui vous prend, Lydia ? Vous vous acharnez sur Mathieu. Il a accompagné Terry pour le travail de débroussaillage pendant que Walter était en congé, et il a travaillé dur. Ce n'est pas la peine de mettre la pelle en action pour le curage ; ils auront terminé à la fin de la semaine et...

— La pelle dégage une demi-tonne de boue à chaque voyage ! coupa Lydia. Si je dis qu'on s'en serve pour le curage, on s'en servira ! Et si je dis que Mathieu fera des heures supplémentaires pour la nettoyer, il en fera ! Tout le monde, ici, a fait ce travail-là, moi comprise. Il peut bien le faire, lui aussi, non ?

John n'insista pas mais suivit des yeux sa belle-mère qui avait tourné les talons. Il se rappelait les premières semaines qui avaient suivi le retour de Mathieu. A cette époque, toute la famille avait collaboré à la réintégration de l'ex-détenu. Lydia n'épargnait pas Mathieu, alors, mais tout se passait dans une ambiance de formation bien programmée. Depuis quelques jours, l'atmosphère avait changé. Des nuances nouvelles étaient apparues, qui déplaisaient à John. Il y avait dans les manières de Lydia quelque chose de sauvage, de rancunier même.

John avait l'impression qu'il s'était passé quelque chose que Lydia ne voulait pas lui dévoiler. S'il se donnait la peine de mener sa petite enquête personnelle et de bien y réfléchir, peut-être découvrirait-il de quoi il s'agissait. Mais il n'avait pas

envie de chercher trop loin. La situation lui plaisait,
telle qu'elle était. Une petite entreprise familiale,
prospère, mais modeste ; une femme et des enfants
qu'il adorait ; une maison agréable où il pouvait passer ses loisirs à faire un peu de jardinage et à bri-
coler. Pour conserver tout cela, il était prêt à fermer les yeux et à faire la sourde oreille à bien des
choses.

Mathieu, toujours soucieux de sa sécurité, prenait l'affaire avec prudence. Il se montrait docile,
s'efforçait humblement de plaire à tout le monde,
surtout à sa mère. Tout, plutôt que de retourner
en prison ! Certes, il était entre les mains de Lydia
et elle lui en faisait voir de toutes les couleurs ; mais
enfin, il était libre ; il avait une belle chambre, une
salle de bains luxueuse, des complets sur mesure qui
mettaient en valeur son physique agréable, de bons
repas abondants, et surtout personne pour l'obliger
à se coucher à la tombée du jour. Il aurait bien
voulu que sa mère comprenne que, s'il avait atta-
qué Charlie, c'était pour protéger toute la famille,
mais il voyait bien que chaque heure passée était
une heure gagnée et que, plus le temps s'écoulait,
moins sa mère pouvait refuser de le garder près
d'elle.

Alors, tout bien considéré, il se disait qu'il avait
tout de même beaucoup de chance. Il baissait la
tête pour laisser passer l'orage et formait des vœux
pour que le coma de Charlie se prolonge indéfini-
ment. En attendant, il manœuvrait la grosse pelle
parce que telle avait été la fantaisie de Lydia et
restait seul au chantier après tous les autres pour
laver l'engin.

Mathieu était un garçon qui se laissait toujours guider par ses intérêts immédiats et ses désirs. Le malheur était qu'il ne s'en rendait pas compte.

*
* *

Jill tourna lentement sur elle-même et s'arrêta. Le miroir reflétait son adorable silhouette, dans un fourreau de dentelle blanche.

— Cela vous plaît-il ? demanda-t-elle gaiement.

Sylvia et Rose, qu'elle avait invitées à cet essayage de sa robe de mariée, poussaient des exclamations admiratives.

— Oh, Jill, elle est vraiment magnifique ! se récria Rose. La petite traîne me plaît beaucoup.

— A moi aussi, dit Sylvia. Peut-être supporterais-tu qu'on reprenne un peu la taille. Tu as une taille si fine, Jill !

— Tu as raison. Vous reprendrez un peu la taille, dit Jill à la couturière, qui s'était un peu écartée et regardait sa création avec orgueil.

Jill prenait grand plaisir à cet essayage. Elle obéissait à tous les ordres de la couturière, levait obligeamment les bras pour lui permettre de placer ses épingles où elle voulait et songeait que le secret du bonheur était bien simple : céder sur les petites choses pour pouvoir faire ce qu'on veut pour les choses importantes. Hester, sa tante, était si absorbée par la préparation du mariage qu'elle semblait avoir oublié les réserves qu'elle avait faites sur le choix de Terry. Quant à Sylvia et à Rose, ses futures belles-sœurs, si Jill les avait invitées à cet essayage, ce n'était pas seulement pour leur faire plaisir ;

c'était parce qu'elle les aimait bien et qu'elle désirait
vivement être entièrement adoptée par elles. Elle les
aimait pour leur personnalité, leur simplicité, la
modestie de leurs ambitions. Elle se réjouissait à
l'idée qu'un jour viendrait où elle accompagnerait
ses propres enfants à l'école, où elle se préoccupe-
rait avant tout de leur santé et de leurs progrès. Elle
était sûre que Terry et elle ne pourraient avoir que
des enfants magnifiques. Ces réflexions et ces ambitions pouvaient être jugées banales ou vulgaires
mais Jill s'en moquait et était heureuse.

— Et voilà ! dit-elle gaiement lorsque, dépouil-
lée de ses dentelles blanches, elle se retrouva vêtue
du pantalon et du pull qui étaient sa tenue habituelle.
Il faut que je retourne au bureau. Mais nous avons
tout de même le temps de passer boire quelque chose
en vitesse à « la Couronne », si cela vous dit ?

— Ma foi, je boirais bien un petit sherry, avoua
Sylvia.

Rose approuva, d'un sourire, et ajouta :

— Seulement, il faudra faire vite. C'est mon tour
d'aller chercher les enfants à l'école.

Les trois femmes prirent le chemin de l'auberge.
Elles étaient très gaies et bavardaient comme des
pies.

Hester Pagett faisait preuve de beaucoup de
patience.

— Je ne comprends pas pourquoi vous hésitez
encore, Muriel, dit-elle. Je vous ai invitée à venir
vous installer avec moi au cottage, une fois Jill

mariée. Il est vrai qu'après ma mort, la maison appartiendra à Jill, je ne vous l'ai pas caché. Mais vous
connaissez Jill depuis toujours. Elle a bien des dé-
fauts, certes ; mais la croyez-vous capable de vous
signifier votre congé ?

Muriel hocha la tête sans répondre. Tout ce
que disait Hester était vrai. Elle ne savait pas elle-
même pourquoi elle hésitait tant à abandonner un
appartement minuscule qu'elle détestait pour s'installer dans cette belle vieille maison qu'elle avait
toujours admirée. Mais c'était un fait. Elle ne parvenait pas à se décider.

— Je ne voudrais pas paraître m'immiscer dans
vos réflexions personnelles, reprit Hester, assez sé-
vèrement. Mais je crois que je devine. Si vous
voulez, je pourrais ajouter une clause à mon testa-
ment, et préciser que vous serez chez vous ici,
aussi longtemps que vous vivrez ? Croyez-moi, Muriel, je comprends vos préoccupations.

En fait, elle ne comprenait pas, mais Muriel
préféra ne rien dire.

— Quand j'ai un problème, continua Hester,
j'ai une méthode à moi pour me décider. Je mets
sur une feuille de papier les arguments pour et les
arguments contre. Cela vous éclaircit les idées. Je
ne suis pas assez sotte pour m'imaginer que vous
n'avez rien à dire contre l'idée de vous installer ici,
Muriel. Pourquoi ne mettriez-vous pas tout cela par
écrit ? Vous savez, je ne me sentirai pas offensée.
Voulez-vous rester seule un moment pour y réfléchir ? Je vais descendre au jardin. Il faut que je
mette des tuteurs à mes dahlias. Si vous voulez prendre des notes, mettez-vous donc à mon bureau. Vous

y trouverez tous les papiers de brouillon qu'il vous faut.

Muriel sourit et se leva docilement.

— Hester, dit-elle, je comprends que mes hésitations finissent par vous lasser. Je ne voudrais pas...

— Allons, allons, Muriel ! Bien sûr que non ! Je comprends parfaitement que vous ayez besoin de réfléchir avant de vous engager.

Hester coupa court aux protestations de sa vieille amie avec un petit geste gracieux des doigts. Muriel se rappela que, déjà lorsqu'elles étaient enfants, Hester avait toujours su imposer sa forte volonté. Muriel, avait toujours été faible.

— Vous comprenez, balbutia-t-elle, c'est simplement que... Enfin, ce n'est pas... c'est plutôt que...

— Je comprends parfaitement, coupa Hester, majestueuse. Je n'aime pas plus que vous qu'on me bouscule ! Je resterai dans le jardin jusqu'à quatre heures.

Muriel alla s'installer au petit bureau. Il était un peu en désordre. Des papiers divers traînaient : la liste des invités, pour le mariage, une lettre d'un traiteur, accompagnée d'un devis, une lettre du curé, le devis d'un fleuriste... Muriel connaissait toutes ces correspondances, car Hester avait discuté de ces questions avec elle.

Mais il y avait aussi une feuille de papier sur laquelle des notes avaient été prises, avec un grand point d'interrogation tracé en face. Surprise, elle se mit à lire et son étonnement fut soudain extrême.

« *D'où les Woodley venaient-ils avant de s'installer à Chyndford ?*

« *Pourquoi n'ont-ils porté sur la liste des invités au mariage aucun parent ou ami hors de ceux que nous leur connaissons à Chyndford ?*

« *Pourquoi M. dit-il qu'il a été employé dans l'administration à Perth, en Australie, alors que le Consul de Grande Bretagne n'a jamais entendu parler de lui ?*

« *Ment-il ? Et, dans ce cas où M. était-il ? Pourquoi dire un mensonge s'il n'a rien à cacher ?*

« *L'homme qu'on a retrouvé dans la carrière n'était pas de Chyndford, lui non plus. Pourquoi est-il venu s'y installer ? Pourquoi est-il monté jusqu'ici pour voir spécialement Chimes Cottage ? Projetait-il un cambriolage ? Il avait fait de la prison ?* »

Il y avait encore d'autres notes, mais Muriel n'eut pas le temps de les lire car Hester réapparut dans la pièce, une pelote de rafia à la main.

— Je suis revenue, commença-t-elle gaiement, parce que...

— Hester ! coupa Muriel d'un ton accusateur en lui présentant la feuille.

Pour une fois, Hester perdit contenance, et rougit. Trahie par sa passion pour ce qu'elle considérait comme une bonne règle de vie, elle avait oublié cette note sur son bureau.

Muriel reposa le papier avec un dégoût discret.

— C'est affreux ! dit-elle. Comment pouvez-vous être aussi fausse, Hester ? Vous passez des heures et des heures à préparer un grand mariage, auquel je suis persuadée que Jill ne tient pas du tout et, pendant tout ce temps, vous, vous... Oui, Hester, qu'essayez-vous au juste de faire ?

Sa gentillesse habituelle l'avait abandonnée. De vieux souvenirs lui revenaient soudain en foule, du temps où, à l'école, Hester s'était montrée un peu trop autoritaire. Il fallait que tout le monde en passe par ses quatre volontés et elle avait laissé voir quelque fois des petits côtés de son caractère qui n'étaient pas spécialement plaisants.

Et puis, Muriel se rappelait autre chose, une petite chose, certes, mais qui lui avait laissé un souvenir attendri.

— Permettez-moi aussi de vous dire autre chose, Hester, continua-t-elle. Quand j'avais dix-sept ans, j'ai été amoureuse de votre frère Roger. Je sais, cela n'a pas duré. Mais enfin, j'aurais pu être la maman de Jill, si les choses avaient tourné différemment. Cela explique peut-être pourquoi je l'aime beaucoup, pourquoi je voudrais la voir heureuse. Or, ce qui la rendra heureuse, ce n'est pas nécessairement ce que vous croyez, Hester, ou ce que vous souhaitez. Je sais que vous méprisez les Woodley, encore que je doive reconnaître que vous le cachez rudement bien. Personnellement, je trouve que Terry est un brave garçon, charmant, travailleur. Si Jill était ma fille, je serais fière qu'elle épouse ce garçon. Mais ceci, Hester, ceci... c'est impardonnable ! Vous vous insinuez dans la vie privée de ces gens. Il est vrai que vous avez toujours bien aimé fouiller dans la vie privée des autres, n'est-ce pas, Hester ? En tout cas, j'ai pris ma décision, maintenant. Je ne tiens pas à venir vivre ici avec vous, conclut-elle, dignement.

Hester avait terriblement pâli.

— Ecoutez-moi, Muriel ! balbutia-t-elle. Ce n'est

pas ce que vous pensez. Enfin, pas exactement. Tâchez de voir un peu les choses comme je les vois. J'aurais dû me confier davantage à vous. Je voulais le faire, mais... Je savais que cela vous aurait paru horrible. Ecoutez-moi, Muriel. Peut-être conviendrez-vous qu'il y a quelque chose de très bizarre, dans cette histoire.

Muriel était trop habituée à se montrer docile et complaisante avec son amie pour résister long-temps. Elle hésita et Hester en profita pour la conduire à un fauteuil et reprendre l'avantage.

— Si vous aviez été la mère de Jill, dit-elle, vous auriez peut-être eu des doutes, vous aussi. Souvenez-vous que j'ai servi de mère à Jill pendant très long-temps.

Muriel regarda Hester sans mot dire. Elle restait sur ses gardes.

— Bien entendu, j'aurais voulu que Jill fasse un beau mariage, qu'elle épouse un jeune homme de sa classe, dit Hester, amère. Tout est là, c'est vrai, mais cela n'empêche pas que je veux la voir heureuse. Ce n'est pas trop demander. Plusieurs jeunes gens très bien, tous de très bonne famille, ne demandaient qu'à épouser Jill. Mais non. Il a fallu qu'elle s'éprenne de ce Terry. Je reconnais qu'il est beau garçon, qu'il a de bonnes manières, qu'il se conduit comme un gentleman. Mais regardez sa famille, regardez d'où il sort ! Ces gens-là...

— Non seulement Terry se conduit comme un gentleman, coupa Muriel. Mais c'en est un. Quant aux gens de sa famille, je les admire. S'ils ont des secrets, des choses qu'ils tiennent à garder pour

eux-mêmes... ma foi, est-ce que la plupart des gens
n'ont pas de secrets ? En tout cas, c'est de Jill et de
Terry qu'il s'agit. C'est leur existence à eux qui est
en jeu. Je vois bien, maintenant, ce que vous essayez
de faire, Hester. Vous espérez découvrir quelque
chose de honteux afin que le mariage soit ajourné,
peut-être même abandonné. Quand je pense que
vous manigancez tout cela tout en vous occupant
de ces préparatifs et en donnant l'impression que vous
vous y consacrez tout entière, et...

— Je vous en prie, tâchez d'être un peu moins
romanesque et fleur bleue, et de m'écouter attentivement ! bougonna Hester. Enfin, que dites-vous du
fait que personne ne sait d'où viennent ces gens ?
Pourquoi n'invitent-ils au mariage que des gens de
Chyndford ? Et qu'est-ce que cette histoire de Mathieu
qui prétend avoir travaillé dix ans dans l'administration à Perth alors que le représentant de la
Grande-Bretagne dans cette ville n'a jamais entendu
parler de lui ? Qu'a-t-il fait en réalité, pendant tout
ce temps ?

— Vous voudriez me faire croire qu'il a été...
en prison ? dit Muriel.

— Voilà ! C'est vous qui l'avez dit, pas moi !
dit Hester, profitant immédiatement de son avantage. Et ne me dites pas que vous n'y aviez pas déjà
pensé, vous aussi ! Et que dites-vous de cet autre
homme, celui qu'ils ont retrouvé dans la carrière
abandonnée ? Celui-là, nous savons qu'il a fait de
la prison. Cela a été imprimé dans tous les journaux.
Et votre madame Taylor nous a dit elle-même qu'il
était venu ici, qu'il avait rôdé autour du Cottage.
Je n'aime pas beaucoup cela.

Hester frissonna.

— Vous avez raison. Mais, vous savez, Hester, dans cette histoire, c'est plutôt de vous que j'ai pitié, dit tranquillement Muriel.

Et là dessus, sans ajouter un mot, elle sortit.

CHAPITRE X

Cependant, Charlie Coram survivait. Aussi incroyable que cela pût paraître, son état s'améliorait légèrement. Quand il rouvrit les yeux pour la seconde fois, sa vue était nette. Il émergeait enfin de son brouillard cotonneux et distinguait parfaitement ce qui l'entourait. Il se sentait l'esprit alerte, comme s'il s'éveillait simplement d'un sommeil reposant. Il comprenait parfaitement qu'il se trouvait dans une petite chambre d'hôpital. Il y avait un infirmier près de son lit, et là-bas, près de la porte, un agent de police. Or les agents de police n'étaient pas ses meilleurs amis.

En outre, il se rappelait très clairement les événements qui lui valaient de se trouver là, du moins jusqu'au moment où il avait appuyé sur la molette du briquet de Mathieu Woodley pour allumer une cigarette et où il avait reçu ce coup en traître sur le crâne. Il était bien content de ne pas avoir oublié cela. Il avait un pansement autour du crâne. Il le sentait. Il essayait de voir un peu où il en était, de faire le point. Les bras... Bon, ils étaient là, et il pouvait même les bouger un peu. Les jambes... Elles étaient là aussi, car il devinait leur forme, sous les couvertures ; mais il ne les sentait pas. Il voulut les bouger, mais elles ne réagirent pas à l'ordre de son cerveau.

Du coup, il frissonna et eut un petit hoquet d'anxiété. L'infirmier, qui avait déjà appuyé sur une sonnette, se leva et dit tranquillement :

— Bonjour, monsieur Coram.

L'agent bougea. La porte s'ouvrit et un médecin entra. Charlie fut pris de panique.

— Bonjour, Charlie. Comment vous sentez-vous ?

La tête du médecin lui rappelait vaguement quelqu'un, mais il ne voyait plus qui.

— Mes jambes ? balbutia-t-il, d'une voix faible. Elles ne veulent pas bouger !

— Vos jambes... Oui, ne nous inquiétons pas pour le moment. Vous êtes vivant, vous avez repris conscience. C'est déjà très bien. Pourriez-vous essayer de vous asseoir un peu... comme ceci ?

Ils le tirèrent, le firent asseoir, le soutinrent par des oreillers amoncelés derrière son dos.

— Bien, très bien ! Aimeriez-vous boire un peu ? De l'eau...

On lui tendit un verre et il but une gorgée.

— Dites-moi un peu comment vous vous sentez ? Votre tête ? demanda le médecin.

— De ce côté-là, ça va. Mais, mes jambes ?

— Nous y viendrons. Chaque chose en son temps. Parlons de votre tête. Ressentez-vous des douleurs ? Pas la moindre ? Votre vision est-elle

bien nette ? Vous m'entendez ? Bien ? Même quand
je parle tout doucement, comme ceci ? Cela ne
vous a pas fait mal à la gorge, quand vous avez
bu de l'eau ?

Charlie était en proie à une panique telle qu'il
avait du mal à résister à son envie de hurler. En
fait, s'il ne hurlait pas, c'est qu'il en était incapable. Il regarda le médecin bien en face et, d'une
voix faible, mais très nette, lui proféra une bordée
d'injures.

— Chut ! fit le médecin sans se fâcher. Vous
êtes bien ingrat, mon ami ! Après tout ce que nous
avons fait pour vous ! Bon, bon, parlons-en, de vos
jambes, puisque vous y tenez. Vous ne les sentez
pas et vous ne pouvez pas les bouger. Nous le
savons. Mais nous y reviendrons plus tard. Pour
le moment, il s'agit de votre tête. C'est tout de
même le principal. Vous aviez une triple fracture,
avec des esquilles... Une blessure que, normalement, nous devions considérer comme fatale. Et
pourtant, vous êtes toujours là, avec une jolie plaque d'argent dans la tête. Vous êtes une véritable
œuvre d'art, Charlie. Maintenant, allez-y ! Inju-
riez-moi encore, si ça vous fait plaisir !

Charlie grommela quelques excuses indistinc-
tes.

— Bon, dit le médecin, c'est mieux. Mais ne
me tentez plus, car je sais jurer, moi aussi. En trois
langues et même en latin. Vous seriez battu. Bon...
L'infirmière va vous apporter un bol de soupe. Je
veux que vous essayiez de tenir le bol vous-même
et de manger votre potage sans qu'on vous aide.
Compris ?

Charlie injuria à nouveau le médecin, mais silencieusement, cette fois.

— D'accord, dit-il seulement.

Le médecin se retourna avec un grand sourire et se heurta à l'agent, qui se précipitait vers Charlie.

— Pas encore ! dit le médecin.

— Ecoutez, docteur, il a repris conscience, il sait parfaitement ce qu'il dit. On m'a mis ici pour recueillir sa déposition !

— Ecoutez vous-même ! répliqua le médecin. Je suis ici pour soigner ce blessé, et j'ai dit : pas encore ! Vous pouvez bien attendre un peu. Ne vous inquiétez pas, il ne risque pas de se sauver.

Le médecin avait chuchoté, mais Charlie avait tout entendu, et tout compris. Il savait que le médecin aurait pu ajouter : « Il ne risque plus jamais de se sauver, ni même de marcher. »

Charlie avait perdu l'usage de ses jambes.

Charlie avala son petit bol de soupe, et le fit sans l'aide de personne. Puis il s'endormit immédiatement. Quand il se réveilla, il s'aperçut qu'il avait une visiteuse : Mme Taylor.

— Oh, Charlie ! s'exclama-t-elle, refoulant les larmes qui lui montaient aux yeux. Ça me fait tellement plaisir de vous voir... de vous savoir...

Elle n'avait jamais été très forte pour exprimer ses sentiments. Elle prit la main de Charlie et la garda entre les deux siennes.

Les mains de Mme Taylor étaient celles d'une femme déjà d'un certain âge, durcies par le travail, mais leur pression témoignait d'une gentillesse affectueuse que Charlie ressentit parfaitement.

— C'est comme si vous étiez revenu de...

Elle s'interrompit brusquement et se mordit la lèvre.

— Vous avez l'air vraiment bien, reprit-elle. Ils m'on dit que je ne pouvais rester qu'un quart d'heure. Mais, ce que je voulais vous dire surtout, c'est que votre chambre est toute prête. Elle n'attend plus que votre retour... euh... en toute hypothèse, conclut-elle avec force.

Ce n'était pas le genre d'expression qui venait naturellement à Mme Taylor. Charlie comprit que le médecin l'avait renseignée. Il réussit à sourire faiblement et à répondre un peu à la pression de ces fortes mains.

— Je dois vous dire que le repos semble vous avoir fait du bien, continua Mme Taylor. Ma parole, vous paraissez dix ans de moins !

Ses yeux remontèrent vers le paquet de pansements qui garnissaient le crâne de Charlie.

— Vous savez que c'est une opération extraordinaire qu'ils vous ont faite, Charlie ? C'était dans tous les journaux. Je vous les ai mis de côté pour que vous puissiez les lire quand vous reviendrez à la maison.

« Quand vous reviendrez à la maison. » Ces mots eurent un impact extraordinaire sur sa sensibilité à vif. Jamais encore on ne lui avait dit cela. Bougre de sotte ! pensa-t-il. Vieille bécasse sentimentale ! Personne jusqu'ici n'avait particulièrement tenu à sa compagnie. Encore moins vraisemblable que les gens veuillent de lui, maintenant qu'il n'avait pour ainsi dire plus de jambes ! Il serait à la merci de n'importe qui, bon à rien, paralysé.

Et tout cela, c'était à Mathieu Hannen qu'il le devait — non, à Mathieu Woodley, comme il se faisait appeler maintenant.

« Ça va, Mathieu, se dit-il, en lui-même. Tu ne perds rien pour attendre. Je ne suis pas pressé ! Je pense que tu dois l'être plus que moi. Mais attends ! Ça ne te fait pas de mal d'avoir peur en attendant que je sois prêt...

Madame Taylor retira ses mains, à contrecœur.

— Je crois qu'il faut que je m'en aille, maintenant, Charlie. Il ne faut pas que je vous fatigue. Mais je reviendrai demain. Ils sont très gentils avec moi, dans cet hôpital. Ils ont dit qu'ils me laisseraient venir quand je voudrais, pourvu que je ne reste pas trop longtemps. Si vous désirez quoi que ce soit, n'oubliez pas de me le dire demain.

Maintenant qu'elle lui avait lâché la main, il avait froid, et il se sentait frustré.

— Emily ! balbutia-t-il.

— C'est bon, Charlie ! Ne vous inquiétez de rien. Occupez-vous seulement de guérir. Mais vous êtes déjà très bien, ajouta Mme Taylor, avec un grand sérieux.

Elle se retourna et s'éloigna. Il la suivit des yeux. Un petit bout de femme pour qui la vie n'avait pas été particulièrement douce. La porte se referma derrière elle et il se retrouva seul, mais avec un souvenir de plus, un souvenir de chaleur et d'affection, qui lui lavait le cœur...

Non, c'est vrai ; il n'était pas seul : l'agent était resté assis là-bas. Il attendait avec une patience inlassable que Charlie puisse parler.

Et, brusquement, Charlie sentit qu'il était prêt à le faire.

— Eh, vous ! appela-t-il d'une voix rauque. Venez voir un peu !

L'agent, qui commençait à en avoir assez de sa faction, se leva, s'approcha du lit et regarda Charlie d'un air méfiant.

— Je me souviens de ce qui m'est arrivé, dit Charlie. Ecrivez !

— Vous voulez dire que vous allez me faire une déclaration ? dit l'agent. Alors, attendez ; il faut que je prévienne le médecin.

Le médecin vint assez vite. Il tâta le pouls de Charlie.

— Vous savez que vous n'êtes pas obligé de répondre aux questions, Charlie, si vous ne vous sentez pas en état de le faire, dit-il.

— Mais je veux parler, dit Charlie. Il faut que je raconte mon histoire. De toute façon, cela me rend nerveux, de rester là à rien faire. Allons-y, tout de suite.

Il ferma les yeux et se mit à parler.

— Quelles blagues ! grommela le sergent Jim Frame, ahuri par la lecture des déclarations faites par Charlie Coram. Maudit menteur !

L'inspecteur prit la déclaration et la relut à haute voix. Son ton était empreint d'un scepticisme absolu :

« Le vendredi soir, j'ai quitté la maison de Mme Taylor, ma logeuse, avec l'intention de faire une promenade puis de retourner en ville et d'y

boire un verre. J'ai pris la route de Stafford, que j'aime bien, parce qu'elle est bordée d'arbres et qu'elle traverse des champs. Une voiture qui passait s'est arrêtée près de moi. Le conducteur s'est penché par la portière et m'a demandé si c'était bien la route de Chester. Je lui ai dit que je croyais me souvenir de l'existence d'un poteau indicateur un peu plus loin, mais étant depuis peu dans le pays, je n'étais pas sûr de la direction. Il m'a demandé de l'accompagner et je suis monté dans sa voiture.

« *C'était un petit véhicule noir. Je n'ai pas pensé à relever le numéro. L'homme était plutôt brun avec une moustache. D'après sa façon de parler, je pense qu'il devait être de Londres, comme moi. Nous avons un peu bavardé. J'ai dit que je travaillais dans un supermarché et j'ai dû lui donner l'impression que j'avais une place plus importante que celle que j'ai en réalité, et que peut-être j'avais une certaine somme d'argent sur moi. Toujours est-il, qu'il m'a dit qu'il allait s'arrêter pour nous permettre de fumer une cigarette tranquillement. Pendant que j'allumais ma cigarette, il m'a assommé. Je ne me souviens plus de rien à partir de ce moment-là. Je ne crois pas que je pourrais reconnaître l'homme, si je le revoyais.* »

— Quelles âneries ! protesta Jim Frame. Il ne compte tout de même pas nous faire croire cela ? Sais-tu ce qui me frappe ? La description qu'il fait de ce type... il a pris exactement le contre-pied de la description réelle de Mathieu Woodley. Des cheveux bruns, une moustache, une voiture noire... Woodley est plutôt blond, il n'a pas de moustache

et sa voiture est blanche. Tiens, encore autre chose :
si cet automobiliste ne connaissait vraiment pas la
région, comment aurait-il pu savoir qu'il y avait là
une vieille carrière dans laquelle il pourrait se
débarrasser du corps de Charlie ? La carrière est
très à l'écart de toutes les routes sur lesquelles les
voitures circulent normalement. Il faut vraiment
connaître son existence, pour la trouver.

L'inspecteur jeta la déclaration dans un tiroir.

— Tu as parfaitement raison, dit-il. Mais il a
fait cette déclaration de lui-même, au moment qu'il
a choisi, sans que personne l'y pousse. Le médecin était présent et il a apposé sa signature sur le
procès-verbal.

— Mais il n'était pas sous serment, quand il a
fait cette déclaration. Donc, il peut retirer tout ce
qu'il a dit, quand il lui plaira. Je me demande ce
qu'il manigance. Que devons-nous faire ?

— Ce qu'il manigance... Nous pouvons chercher à le deviner, pas vrai, Jim ? Mais c'est tout. En
tout cas, il ne pourra pas tenter grand chose, si
j'en crois la note confidentielle du médecin qui est
jointe à la déclaration : « ... *fracture à la base de
la colonne vertébrale... paralysie...* » J'ai l'impression qu'il ne retrouvera pas l'usage de ses jambes
avant longtemps et que, s'il marche jamais, ce sera
avec beaucoup de difficulté. Bien sûr, il nous faudra
le surveiller, mais, dans ces conditions, ce ne sera
pas très difficile. En attendant, montre ça aux
journalistes, si cela les intéresse, et puis classe le
dossier de Charlie. Le pauvre diable !

— Et Woodley ?

— Ah, lui, je ne sais pas trop, fit-il, ennuyé.

C'est peut-être lui que nous devrions surveiller. Mais, après tout, je n'en sais rien.

Charlie considérait la fausse déclaration qu'il avait faite comme un chef--d'œuvre de ruse. Cela le débarrassait de cet agent de police qui n'avait cessé de le surveiller. Il pouvait revenir sur ses déclarations quand il le voudrait en expliquant qu'il les avait faites parce qu'il avait peur. Surtout, il pouvait brandir cette menace sur la tête de Mathieu et le tenir jusqu'à la fin de ses jours. Cette fois, il le tenait bel et bien, et à mesure qu'il y réfléchissait, les perspectives qu'il entrevoyait se faisaient de plus en plus brillantes.

Il ne se faisait d'ailleurs aucune illusion et savait que l'optimisme délibéré des médecins et des infirmières qui s'occupaient de lui était tout aussi faux que la déclaration qu'il avait faite. Il savait à quoi s'en tenir sur son état. Peut-être, avec le temps, redeviendrait-il capable de clopiner, mais il ne serait plus jamais question pour lui de courir, ou même de marcher normalement. Et c'était à Mathieu Woodley qu'il devait cela, et il se chargerait de le faire payer. Charlie ruminait ces réflexions amères et attendait son heure.

Ses tourments et sa solitude n'étaient soulagés que par les visites fréquentes de Mme Taylor. Elle venait ponctuellement, lui apportant tantôt un journal, tantôt quelques fruits. A chaque visite, elle s'asseyait à son chevet, prenait sa main dans les siennes. Au bout d'un moment, un peu de chaleur pénétrait jusqu'à l'âme de Charlie par l'intermédiaire de ces mains serrées. La conversation même de Mme Taylor n'était pas très enrichissante, mais c'était un baume pour Charlie.

— C'est honteux, ce qui vous est arrivé, Charlie. J'espère qu'ils attraperont ce type. Je ne sais pas ce que je lui ferais, s'il me tombait sous la main. De mon temps, on n'aurait jamais vu une chose pareille. Vous savez, Charlie, j'ai bavardé avec les médecins et les infirmières. Ils m'ont assurée qu'ils réussiront des miracles, pour vous, avec le temps, bien sûr.

Etait-elle vraiment aussi niaise qu'elle le paraissait ? Elle devait bien savoir maintenant qu'il avait fait de la prison, et pas une seule fois ! Tous les journaux en avaient parlé.

— Et, bien sûr, vous aurez toujours un foyer chez moi, Charlie. Si vous n'avez nulle part ailleurs où aller et si vous désirez rester à Chyndford, bien entendu. Je ne vous en voudrais pas si vous ne pouviez plus supporter ce pays. Vous ferez comme vous voudrez.

Charlie pensait à la petite maison de Mme Taylor, avec son confort rudimentaire, à la cuisine simple mais solide qu'elle lui faisait. Il pensait aussi à la vie d'expédients qu'il avait menée jusque là et il se demandait comment il avait pu passer tant d'années à se disperser sans jamais arriver à rien.

— Il faut que je m'en aille, maintenant, Charlie. Avez-vous envie de quelque chose ?

Il aurait bien aimé par exemple faire une croisière de luxe aux frais de Mathieu Woodley. Il comptait ne plus trop tarder avant de prendre contact avec Mathieu. Il n'aurait qu'à demander à le voir pour que celui-ci arrive immédiatement.

Cette idée était si réjouissante qu'elle le mit en humeur de plaisanter.

— Oui, Emily, dit-il. J'aimerais bien une grande assiettée de votre ragoût aux tripes et aux oignons, dit-il.

La brave femme partit d'un petit rire confus.

— Voyons, Charlie, vous savez bien que je ne peux pas vous en apporter ici. Et puis, ça serait tout froid. Vous savez qu'il faut le manger bien chaud. Mais je vais vous dire quelque chose : je vous en ferai le jour où vous rentrerez à la maison.

« Le jour où vous rentrerez à la maison... » Jamais encore personne ne lui avait dit cela.

Lydia lut dans les journaux la déclaration de Charlie avec un soulagement mêlé d'incrédulité. C'était déjà quelque chose, bien sûr, que Charlie ait survécu ; au moins, Mathieu n'avait pas tué deux fois. Mais où Charlie voulait-il en venir ?

Tout comme l'inspecteur de police, Lydia comprenait que Charlie n'avait pas menti sans raison, et il lui était assez facile de deviner quel pouvait être son but. Mais, à la différence de l'inspecteur, Lydia n'était liée par aucune réglementation. Une idée lui vint soudain à l'esprit qu'elle mit sur-le-champ à exécution. Elle alla à l'hôpital et demanda à voir Charlie, sans avertir personne de ses intentions.

Elle trouva Charlie Coram assis dans un fauteuil roulant, vêtu d'une robe de chambre épaisse,

ses jambes mortes entortillées dans des couvertures.
On avait roulé son fauteuil sur une petite véranda.
Il paraissait frêle, amaigri, vraiment très diminué.
Lydia le regarda et se dit qu'elle ne devait plus
avoir de cœur, car elle ne ressentait aucune pitié.

— Je suis Lydia Woodley, annonça-t-elle. La
mère de Mathieu. Je suis venue m'entretenir avec
vous. Si vous n'avez pas envie de me parler, dites-
le, et je m'en irai. Mais je reviendrai. Et ce ne
sera pas agréable. Comme vous voudrez.

Charlie était pris complètement par surprise. Il
la regardait fixement, sans rien montrer de ce qu'il
pensait.

Elle prit alors une chaise et vint s'asseoir près
de lui.

— Je sais tout, commença Lydia. Mathieu m'a
tout raconté. Je ne le défends pas. C'est un criminel. Mais c'est vous qui avez commencé. Vous avez
essayé de le faire chanter. Alors, répondez simplement à cette question : si vous vous trouvez ici, et
dans cet état, qui en est responsable ? Mathieu, ou
vous ?

Il ouvrit la bouche, mais ne put proférer aucun
son. Lydia répondit elle-même à la question qu'elle
avait posée.

— C'est vous, dit-elle. D'accord ? Voilà déjà
un point d'acquis. Une autre question. Quelle était
exactement votre intention en racontant ces mensonge à la police ?

Il fallait à Charlie Coram beaucoup d'efforts
pour ne pas se laisser terrifier par cette femme impo-
sante dont le visage était déformé, enlaidi par une
sorte de colère passionnée. Bien qu'affaibli, il se

maîtrisa. Il se rassura en pensant qu'il avait une
sonnette à portée de la main, sur la table.

— Que voulez-vous ? balbutia-t-il. Vous ne
vous imaginez pas que vous pouvez impunément
venir m'importuner ici et me parler sur ce ton, et...

— Je le peux si bien que je le fais, répliqua
Lydia, qui avait vu son coup d'œil et qui éloigna la
sonnette. Quant à ce que je veux, c'est simple, et
je vous l'ai dit : une petite conversation, bien
directe. Je parle toujours franchement, monsieur
Coram. Quand j'ai lu dans le journal la déclaration
que vous aviez faite à la police, j'ai compris immédiatement ce que vous prépariez. Vous comptez
vous essayer une fois de plus au chantage. Eh bien,
monsieur Coram, essayez un peu, pour voir ! Mais,
avant d'entreprendre quoi que ce soit, réfléchissez à ce que je vais vous dire.

Lydia avança sa chaise et se pencha vers Charlie.

— Mathieu a payé pour l'acte qu'il a commis
il y a maintenant près de onze ans. Il a payé, mais
moi aussi : et tous les membres de ma famille, qui,
de leur vie, n'avaient jamais fait de mal à personne.
Maintenant, j'en ai assez et je n'ai pas l'intention
de laisser aucun membre de ma famille, Mathieu
compris, continuer à payer. Comprenez bien cela !
Ce n'est plus à mon fils que vous avez affaire ;
c'est à moi. Ne vous méprenez pas sur mon compte.
Je ne suis pas une belle dame ! Je ne suis pas de
ceux qui se laissent faire. Et n'allez pas non plus
vous imaginer que vos menaces peuvent me donner des cauchemars. En fait, si je m'écoutais, j'irais
de ce pas trouver la police, dire toute la vérité et

livrer Mathieu en l'accusant de voies de fait pré-
méditées. Cela ne risque pas de me briser le cœur,
comme on dit, parce que, de cœur ,je n'en ai plus,
depuis longtemps.

Elle fronça les sourcils, se redressa.

— Mais, si jamais je fais cela, monsieur Coram,
reprit-elle, je veillerai à ce que vous soyez impli-
qué autant que Mathieu. Je vous persécuterai au
point que vous regretterez d'être jamais né. Les
persécutions, je sais ce que c'est, pour en avoir
longtemps subi. Je sais l'effet que cela vous fait.
Je sais comment on s'y prend. Et je crois que, si je
veux bien m'en donner la peine, je saurai encore
trouver quelques moyens inédits.

Elle se tut, brusquement. Un silence tomba.
Charlie se sentait faible et tremblait.

Lydia se leva.

— Voilà, monsieur Coram. A vous de choisir,
maintenant. Si je vous ai dit tout cela, c'est que je
veux en finir avec cette histoire. Et elle finira, d'une
manière ou d'une autre. J'espère vous avoir convaincu
que, comme ennemie, je peux vous faire beaucoup
souffrir. Mais je puis aussi être intéressante pour
vous. Je serai une amie, et je vous aiderai, il me
semble que vous avez bien besoin d'amis, dans
votre situation, à condition que vous oubliiez que
vous avez jamais connu Mathieu. Quand je dis que
je vous aiderai, cela ne veut pas dire que je vous
donnerai de l'argent ou un emploi dans mon entreprise. Cela, n'y comptez pas. En fait, si je vous
vois jamais mettre un pied chez moi, je vous ferai
jeter dehors. Tout de même, je peux vous aider, et
je vous aiderai.

Elle ouvrit son sac à main, prit quelques piécettes et les déposa sur le dessus de la couverture qui enveloppait ses jambes.

— Voici pour le téléphone, dit-elle. Si vous décidez d'accepter mes conditions, TOUTES mes conditions, téléphonez-moi, et je reviendrai vous parler. Si vous persistez à vous en prendre à Mathieu, ce qui revient à vous en prendre à moi, ne vous donnez pas la peine de me téléphoner. Mais réfléchissez bien avant d'entreprendre quoi que ce soit !

Elle rentra chez elle, monta dans sa chambre, s'étendit sur son lit. Elle ne pleurait pas, mais son cœur battait à grands coups. Elle se demandait dans quels abîmes de cruauté elle était tombée pour traiter de cette façon un homme dans l'état où se trouvait Charlie. D'autant plus qu'elle lui avait raconté des mensonges à peu près aussi gros que ceux que Charlie avait racontés à la police.

Elle ne pourrait pas plus se résoudre à livrer jamais Mathieu à la police qu'à faire mettre Charlie Coram à la porte de chez elle.

Elle le pensait, du moins. Mais elle n'était même pas sûre de savoir elle-même jusqu'où elle pouvait aller.

⁎⁎

Hester Pagett était restée furieuse, stupéfaite, choquée de l'éclat de Muriel, cette amie dont la docilité et la gentillesse avaient eu tellement d'importance pour le lien qui les avait unies.

Muriel n'avait pas compris. Elle n'avait pas eu d'enfants. Bien sûr, Hester n'en avait pas eu, elle

non plus, mais elle avait élevé Jill, qu'elle avait prise
en charge tout enfant. Elle s'était acquittée de sa
tâche avec une certaine étroitesse d'esprit, peut-
être, mais en toute conscience. Une jeune fille
de bonne famille, bien élevée, ne cherchait
pas son mari dans une famille comme ces
Woodley, une famille sortie de rien et qui cachait
on ne savait trop quoi. Un mariage comme celui-là
ne pouvait pas « marcher », Hester en était fer-
mement convaincue.

Si Muriel avait été moins follement romanesque, si elle avait mieux su apprécier la façon dont
Hester agissait, dans le seul intérêt de Jill, elle
aurait peut-être été jusqu'à lui confier son propre
secret.

Car elle était si bien convaincue que Mathieu
Woodley n'avait jamais été en Australie qu'elle
avait, sur ses maigres ressources, sacrifié la somme
nécessaire pour s'assurer les services d'un détective
privé. Elle avait reçu communication de son rapport, un rapport bref, mais précis. La vérité était bien
pire encore que tout ce qu'Hester avait pu imaginer.
Cet homme était un assassin !

Comme elle avait eu raison, depuis le début !
Il était impossible de laisser Jill épouser le fils
d'une famille qui comptait un assassin. Jill elle-
même ne pouvait pas aller jusque là, certainement !
Mieux valait une petite peine de cœur passagère
que des années de regrets, sinon pire !

Mais, bien entendu, Hester n'avait pas l'intention d'annoncer à Jill que son éventuel beau-
frère était un assassin. Ce n'eût pas été délicat.
Elle comptait glisser quelques allusions, poser quel-

ques questions... Le lundi suivant, elle devait prendre le thé avec deux dames qu'elle savait avides
de commérages. Elle connaissait bien sa ville. Elle
n'ignorait pas que, quelques heures après ce thé,
les langues iraient bon train. Elle imaginait toutes
ces dames accrochées à leur téléphone, empres-
sées à répandre la dernière nouvelle sensationnelle.
Les commérages ne manqueraient pas de revenir
aux oreilles de Jill, ils reviendraient même à Hester, un peu déformés sans doute. Pauvre chère
Jill ! Mais mieux vaut l'intervention du chirurgien,
pour aussi cruelle qu'elle puisse paraître parfois, que
de longues souffrances. Et, une fois que Jill serait
remise de sa déception, des perspectives bien meil-
leures s'ouvriraient à elle.

La tante de Jill apaisa sa conscience en confec-
tionnant un de ses gâteaux les plus exquis pour sa
nièce.

*

Le cœur lourd, Lydia appela Mathieu et lui
raconta sa rencontre avec Charlie Coram. Il en fut
consterné.

— Maman ! Comment as-tu pu... C'est bien ce
qui pouvait arriver de pire ! Te rends-tu compte de
ce que tu as fait ? Tu nous a livrés à lui pieds et
poings liés ! Tu n'aurais jamais dû faire le premier
mouvement. Il faut toujours laisser venir les autres.

Elle le regardait, horrifiée, tandis qu'il lui expo-
sait une théorie dans laquelle elle ne voyait que
fourberie, ruse criminelle.

— Tais-toi ! gronda-t-elle soudain. Je ne veux

plus rien entendre ! Pour l'amour de Dieu, Mathieu,
te rends-tu compte que cet homme est infirme pour
la vie, et que c'est toi qui as fait cela ? Tu lui es
redevable ! Je lui suis redevable. Nous lui sommes
tous redevables. J'ai fait ce que je devais faire. J'ai
posé des conditions que je n'avais pas le droit de
poser, mais auxquelles j'ai l'intention de me tenir.
J'ai dit que je l'aiderais s'il respectait ces conditions, et je le ferai. Mais, par principe, je ne lui
donnerai jamais d'argent. N'as-tu vraiment rien en
toi de... de... je ne sais pas, d'humain ? N'as-tu
même pas un peu pitié de lui ?

Mathieu, qui avait senti le vent, vira de bord
aussitôt.

— Bien sûr, il me fait pitié. Mais c'est lui qui
l'a cherché et...

— Tais-toi ! coupa-t-elle, avec un geste vio-
lent de la main. Tu m'as déjà raconté ces balivernes.
Assez parlé de lui. C'est de toi que je veux parler
maintenant.

Et, comme il fronçait les sourcils et ouvrait la
bouche pour l'interrompre, elle continua précipi-
tamment :

— Non, je t'en prie ne viens pas me raconter
une fois de plus que tu t'en iras ! Ecoute-moi bien.
C'est une menace qui ne porte plus. Et fais attention, parce qu'il se pourrait fort bien que ce soit
moi qui te dise de partir. Et, si jamais je t'ordonne
de le faire, crois-moi, tu obéiras. Mais enfin, se
récria-t-elle, angoissée, tu ne comprends donc rien ?

— Bien sûr que si, je comprends, répliqua-t-il.

En fait, il mentait et ne la comprenait pas. Lydia
le pressentit et frissonna de peur.

— Bon, dit-elle, plus doucement. Eh bien, désormais, tu vas travailler, et rien d'autre. Travailler, travailler. Pendant dix ans, tu as oublié ce que c'était que le travail et, depuis que tu es revenu chez nous, tu...

— Comment ? fit-il, stupéfait. Tu crois donc que la prison est une sorte de colonie de vacances ? Et qu'est-ce que j'ai fait, depuis que je suis ici, sinon travailler ?

— Tu ne comprends pas le travail comme je le comprends, comme nous le comprenons tous, Terry, John, Peter, tes sœurs, même. Nous t'avons dorloté, Mathieu. C'est terminé ! Tu vas maintenant savoir à quoi ressemble vraiment une vie de travail.

Il suivit le vent, à nouveau.

— Mais je ne demande pas mieux, maman. Je tiens à prendre ma part du travail commun. Je t'en prie, cesse de parler comme cela ! Ecoute, je ferai tout ce que tu diras, ce que tu voudras.

Il tendit les mains vers elle.

— Enfin, bon sang, s'écria-t-il, pour qui me prends-tu ?

Elle aurait pu lui répondre qu'elle le prenait pour ce qu'il était. Mais non, à la réflexion, elle s'apercevait qu'elle ne le connaissait pas, qu'elle ne l'avait jamais connu. Elle ne demandait qu'à le croire, mais elle ne pouvait pas chasser cette peur qu'elle portait en elle. Une peur folle, mais de quoi ?

CHAPITRE XI

Une fois de plus, Mathieu, en proie aux remords, était plein de contrition. Une fois de plus, il prenait en considération tous les avantages dont il jouissait, tout ce que lui avait valu l'affection des siens, et il reconnaissait qu'il avait bien de la chance. Il trouvait tout naturel qu'on lui demande de travailler pour payer sa place à bord du paquebot familial.

Mais surtout, il voulait parvenir à se faire aimer des siens. Il voulait qu'ils l'admirent, qu'ils le respectent, car il adorait être aimé. Quand il réfléchissait aux événements sombres de ces derniers jours, il comprenait qu'il avait échappé d'extrême justesse à une autre peine de prison, simplement parce que Charlie s'était mis en tête de jouer au malin avec lui. Enfin, sa mère avait réparé les dégâts... Oui, il comprenait maintenant qu'il avait eu bien de la chance qu'elle prenne l'affaire en main. C'était vraiment une femme étonnante. Elle était capable de faire n'importe quoi... enfin, presque. Ce que Mathieu ne comprenait pas, c'est pourquoi elle semblait maintenant incapable d'oublier purement et simplement Charlie Coram. Il y parvenait très facilement, lui !

Et puis, Lydia prenait parfois, un air méditatif qui mettait Mathieu assez mal à son aise. Il s'employait à le faire disparaître, déployant tout son charme, et il pouvait en avoir beaucoup. Son instinct, doublé par le souci de ses intérêts, lui dictait de toucher à l'endroit le plus sensible de Lydia, celui par lequel on pouvait l'atteindre le plus facilement, ses petits-enfants.

Mathieu était capable de jouer n'importe quel rôle si cela devait lui profiter. Mais celui de l'oncle charmant, indulgent, lui venait très facilement, car il s'était pris d'une affection très réelle pour ses jeunes neveux et nièces. Quand il passait une heure ou deux avec eux, il se sentait toujours mieux ensuite. Il leur racontait des histoires sur ses aventures imaginaires en Australie et ils n'auraient jamais eu l'idée de douter de sa parole. Lorsqu'il passait chez une de ses sœurs, avec les poches pleines de chocolats ou de paquets de chips, les enfants sautaient sur lui avec des cris de joie. Ils le regardaient d'un air d'adoration qui lui faisait plaisir. Rose et Sylvie le chapitraient gentiment, mais il n'en avait cure.

Il avait remarqué que le cinéma du coin redonnait de vieux films de Walt Disney. On présentait *Blanche-Neige et les Sept nains,* le samedi suivant, dans l'après-midi. Il se souvenait d'avoir vu ce film quand il était enfant, il y avait déjà bien longtemps de cela, lui semblait-il, avec tous les siens. Il ne se souvenait absolument plus du film, mais il savait qu'il en avait été émerveillé.

— On redonne *Blanche-Neige,* à l'Odéon, dit-il. Je crois que je vais y emmener les enfants.

— Quoi ? fit Lydia.

Il se penche vers elle.

— Le cinéma... *Blanche-Neige.* Les enfants. Samedi après-midi... Pourquoi, cela ne te plaît pas, maman ?

— Bien sûr que si. Enfin, ce n'est pas moi que cela regarde. As-tu demandé à Rose et à Sylvia ? Il se pourrait qu'elles aient d'autre projets, pour eux.

— Ils ne font rien de particulier. Rose et Sylvia sont trop contentes d'être débarrassées d'eux un moment.

— Naturellement, dit-elle, essayant de ne pas paraître trop sévère. Ça sera très amusant, pour les petits. J'aimerais assez y aller avec vous, si tu veux bien de moi. *Blanche-Neige...* Je ne sais pas si tu te souviens que nous étions tous allés le voir ensemble, quand tu étais petit. Ton père était encore vivant, à ce moment-là. Cela m'avait bien plu.

— A moi aussi. C'est drôle que tu te rappelles cela. J'en parlais aux enfants, justement. Ç'avait été une soirée épatante, maman.

Son sourire n'avait jamais été si épanoui, si radieux. Devant ce bon visage, Lydia se sentait honteuse des sombres réflexions qui l'oppressaient.

Il prit donc six places pour la représentation de l'Odéon et, le samedi, tous les enfants se réunirent chez Lydia : les jumeaux Morris, qui poussaient comme des asperges et qui prenaient des

airs supérieurs parce qu'ils avaient maintenant
quitté la « petite école » ; Elizabeth Clark, une
petite blondinette de huit ans au teint pâle, déli-
cieusement angoissée à la perspective des scènes
terrifiantes de Blanche-Neige, et qui avait décidé de
s'asseoir à côté de son oncle Mathieu ; et son petit
frère Lyle, le benjamin des enfants, pour qui c'était
un grand événement, car il n'était encore jamais
allé au cinéma, il se promettait de ne pas avoir
peur, mais il se cramponnait déjà à la main de sa
grand-mère.

Lydia les considérait tous avec fierté. Elle adorait ses petits-enfants. Au milieux d'eux, son fils
aîné, beau comme un jeune dieu, leur distribuait
des paquets de friandises et les admonestait :

— Et n'en dites rien à vos mamans, surtout.
Car elles ne seraient pas contentes de moi. Nous
ouvrirons les paquets de bonbons avant le début du
film, pour ne pas faire de bruit pendant la projec-
tion.

Il tendait une boîte de chocolats à Lydia.

— Pour toi, maman. Allons, laisse-nous te
gâter un peu. N'est-ce pas, les enfants, qu'il faut
gâter grand-mère ?

Il semblait vraiment n'avoir aucun souci. Sa
désinvolture était-elle authentique, ou jouait-il la
comédie ? Malheureusement, la confiance de Lydia
avait reçu de rudes coups. Pourquoi ne pouvait-elle
pas, pour une heure au moins, retrouver un peu
de bonne humeur ? Pourquoi cet instant charmant
était-il gâté par le souvenir de Charlie Coram ?

Que son entrain fût authentique ou non, Mathieu
fit vraiment une fête de ce samedi après-midi. Le

génie de Disney opéra une fois de plus et il y eut des moments assez longs pendant lesquels Lydia oublia tout le reste. Comme elle tournait la tête, une fois, pour regarder Mathieu, elle le vit penché en avant, aussi ensorcelé que les enfants par le film.

Ils sortirent, encore émerveillés.

— C'était vraiment formidable ! soupira Elizabeth, accrochée au bras de son oncle.

— Formidable, oui, épatant !

— Patant, répéta le petit Lyle, qui regardait Lydia, ouvrant de grands yeux enchantés mais déjà ensommeillés.

— La méchante reine était particulièrement horrible, déclara Jane, pincée.

Lydia eut un petit rire indulgent.

— Maintenant nous rentrons. Vous m'entendez bien. Il n'est pas question que vous me demandiez une glace. Nous prendrons le thé à la maison.

Comme elle jetait un coup d'œil à Mathieu, il sauta sur l'occasion, redoublant d'enjouement.

— Miam, miam ! fit-il. Vite, vite ! Qu'est-ce qu'il y aura ? Des raisins secs avec des amandes ? Des petits pains au jambon ?

— Attends, comme les autres, répondit Lydia. Tu verras.

Ils débouchèrent dans la rue, pleine de la foule du samedi soir. La circulation était intense.

— Allons, les enfants, en route ! dit Mathieu, allègrement. Direction, le parking. En file indienne, et en chantant, s'il vous plaît !

Les deux fillettes, qui l'adoraient, se cramponnaient à son bras et chantaient à tue-tête. Lydia avait pris la tête, avec les garçons. Le parking était un peu plus bas, au coin d'une rue.

Ils se frayèrent un chemin parmi les piétons pressés, jusqu'au coin. Par cette rue, les voitures débouchaient sans interruption dans l'artère principale. Mais ils n'avaient pas à traverser. Il leur suffisait de suivre le même trottoir pour trouver leur voiture.

A ce moment, le petit Lyle aperçut un camarade de la maternelle sur le trottoir opposé.

— Timmy ! cria-t-il.

Echappant à Lydia, il fonça, tête baissée, au milieu de la chaussée.

La voiture qui venait de déboucher ne roulait pas très vite, suffisamment toutefois pour faucher un enfant. Pendant quelques secondes, Lydia perdit complètement la tête. Elle était incapable de proférer un son, de bouger un muscle. Elle eut vaguement conscience d'un mouvement rapide, juste derrière elle, et d'un crissement de freins. Des voix excitées, des cris de terreur.

Elle ne voyait plus clair, elle ne savait plus où elle en était. Puis ses yeux redevinrent plus nets, et elle vit.

Au milieu de la chaussée, le petit Lyle, qui était tombé, se relevait et poussait soudain des cris terrifiés, devant les voitures qui, freinant à mort, semblaient le cerner. Des gens hurlaient.

Et là, sous les roues d'une voiture, exactement sous les roues, Mathieu, immobile...

*
**

Mathieu Woodley mourut sans avoir repris conscience, peu après minuit. Sa mère était restée toute la soirée à son chevet, sa main déjà morte dans la sienne, à l'hôpital où on l'avait transporté directement.

Elle perçut le moment exact de sa mort. Un très faible soupir s'échappa de ses lèvres décolorées et, dans sa main, elle sentit une légère crispation des doigts du mourant. Les chirurgiens n'avaient même pas essayé d'intervenir, sachant ses lésions internes irréparables. La voiture l'avait heurté de plein fouet, renversé, et les roues s'étaient arrêtées sur lui. Il venait juste de donner au petit Lyle une bonne poussée qui avait envoyé le gamin à terre un peu plus loin, en sûreté. Le visage et les mains de Mathieu étaient absolument intacts.

Lydia lâcha la main de son fils, se leva. Elle ne donnait aucun signe d'émotion. Elle regarda longuement le beau visage de son Mathieu, empreint d'une sérénité nouvelle. On aurait presque dit qu'une ombre de sourire voltigeait encore sur ses lèvres. Lydia se baissa, baisa les lèvres froides. Puis elle se redressa, fit demi-tour et s'en alla.

Comme toujours, la famille Woodley serrait les coudes. Terry et Jill ramenèrent Lydia à la maison. Peter resta pour régler toutes les formalités avec l'administration de l'hôpital et la police. Dès que Lydia fut rentrée chez elle, Rose et Sylvia se chargèrent d'elle. Elles l'aidèrent à se coucher lui administrant un somnifère. Lydia n'avait pas une larme ; elle ne disait pas un mot.

*
* *

Jill Pagett, encore pâle et mal remise de son
choc, avait retrouvé sa tante.

— Terry et moi, annonça-t-elle bravement,
nous avons décidé de reculer notre mariage.

Hester, très droite dans son feuteuil, ne bougea
pas. Elle regardait sa nièce sans rien dire.

— Le coup a été si soudain, si terrible ! reprit
Jill. Cette pauvre madame Woodley ! Dire qu'il a fallu
que cela se passe juste sous ses yeux ! Ils sont encore sous le coup de ce choc, tous, Terry compris.
Et tu ne peux pas savoir comme ils sont, dans cette
famille ! J'avais cru les connaître, en fait, il n'en
était rien. Je les aime tous, et chacun d'eux. Pas
de la même façon que j'aime Terry, bien sûr. Mais
j'ai pour eux une affection très profonde. Ils sont
parvenus à me faire sentir que je faisais partie de
la famille. Madame Woodley aussi, depuis que nous
sommes fiancés, Terry et moi. Il y a en eux quelque
chose que je n'avais encore jamais rencontré nulle
part, et que je ne sais comment définir. Tout ce
que je peux dire, c'est qu'ils me font penser à ce
que j'apprenais à l'école ; « le tout est plus grand
que la somme des parties ». J'ai écrit des disser-
tations, là-dessus... C'est bête, hein ? Je sais que
Terry m'aime, mais il y a en lui quelque chose qui
appartiendra toujours à sa famille. Et, crois-moi, cela
m'est égal, parce qu'il y a aussi en moi quelque
chose qui t'appartiendra toujours, tante Hester.
Mais... je ne sais plus trop où j'en suis. Devrai-je
rester toujours une étrangère ? J'aime vraiment Terry,
et, sincèrement, je ne désire pas le « posséder »,

mais je me sens si malheureuse. Vois-tu, franchement,
je ne crois pas non plus que j'aurais pu supporter
cette grande cérémonie. Je sais que madame Woodley n'y serait pas venue. Elle en aurait été incapable. Cela me serait bien égal d'autre part de me
marier sans aucune cérémonie, dans la plus stricte
intimité, mais, en ce moment, je ne sais même plus
si je désire toujours épouser Terry. Et pourtant,
Dieu sait si je l'aime !

Jill interrompit ses propos passionnés et un peu
incohérents pour essuyer une larme. Hester, les
mains jointes sur ses genoux, continuait à la regarder
sans rien dire.

Elle pensait comprendre parfaitement ce mystère qui laissait Jill perplexe. En fait, il n'y avait
aucun mystère. La solution de l'énigme était conte-
nue dans ce document sordide enfermé à clé dans
un tiroir de son bureau. Et Hester croyait deviner
parfaitement ce que Jill essayait de lui dire.

— Pourquoi ne dis-tu rien, tante Hester ? éclata
Jill, avec un peu d'animosité. Si seulement tu disais
que tu es contente ! Parce que, tu es contente, n'est-
ce pas ? Tu dois être contente que le mariage soit
remis, ce mariage qui t'a toujours déplu. Ne va pas
t'imaginer que je n'ai rien deviné ! Tu as fait toutes
sortes de préparatifs compliqués pour quelque chose
qui te déplaisait fortement et, si je me suis prêtée à
tes désirs concernant la cérémonie, c'était unique-
ment pour te faire plaisir... Donc, nous n'avons que
ce que nous avons désiré, l'une et l'autre, n'est-ce
pas ? Tu vas pouvoir maintenant défaire tout ce que
tu as fait, tout décommander, et tu éprouveras beaucoup plus de plaisir à défaire que tu n'en as trouvé

à faire. Je... oh, tante Hester, mais qu'est-ce que je dis là ?

Angoissée, Jill crispa les poings puis, avançant, elle prit sa tante dans ses bras.

— Pardonne-moi. Je suis cruelle envers toi, qui as toujours été si bonne pour moi, si merveilleuse, envers toi à qui je dois tout ! Je sais que tu n'as jamais souhaité que mon bonheur ; mais personne ne peut faire le bonheur des autres. Le bonheur, c'est quelque chose que chacun doit trouver soi-même.

Elle embrassa sa tante, puis quitta la pièce en coup de vent.

Jill était sortie depuis longtemps et pourtant Hester était encore assise à la même place, immobile.

N'avait-elle jamais voulu que le bonheur de Jill ? Ce n'était pas absolument exact. Elle avait voulu aussi que ce bonheur coïncide avec ses propres désirs, ses desseins personnels. Elle commençait à comprendre que ses désirs, ses desseins n'étaient pas seulement d'un autre temps ; ils étaient également futiles et sans grande valeur. Le monde avait changé et elle n'avait pas su évoluer avec lui.

Mais Jill avait dit autre chose qui l'avait frappée, une chose qu'elle ne parvenait pas à chasser de ses réflexions : « Le tout est plus grand que la sommes des parties. » Sans le vouloir, sans doute, sans le savoir, certainement, Jill avait mis le doigt sur le secret qui était au cœur de toute cette affaire.

Au bout d'un moment, Hester alla à son bureau, tourna la clé d'un tiroir et en tira le rapport du détective privé. Ce document lui faisait honte, elle s'en rendait compte maintenant. Elle le relut, d'un bout à l'autre. Mais, cette fois, ce qu'elle relisait, ce n'était pas le *curriculum vitae* d'un jeune homme sans doute mal équilibré et qui avait fait preuve de dispositions criminelles ; c'était l'histoire du courage et de la fierté d'une femme qu'Hester avait méprisée pour son manque de vernis mondain et de surface sociale, une femme qui avait pourtant démontré une faculté d'amour transcendante et qui avait résisté à l'adversité avec une intrépidité devant laquelle on ne pouvait que s'incliner.

Elle eut un peu honte d'elle-même. Elle se demanda comment elle avait pu jamais envisager de trahir ce secret pour arriver à ses propres fins, des fins qui, en comparaison de cette vie de sacrifice, lui paraissaient maintenant bien mesquines. En tout cas, Mathieu Woodley, l'ex-Mathieu Hannen, le jeune criminel, lui avait coupé l'herbe sous le pied. Sa mort vidait les manigances d'Hester de toute motivation. Elle lui avait épargné le lancement de cette campagne de médisances contre la famille Woodley, qui eût été une action mauvaise, méprisable.

Elle prit le rapport, s'approcha de la cheminée, craqua une allumette et laissa tomber la feuille enflammée dans la grille. Quand tout fut consumé, elle prit le pique-feu et écrasa les cendres.

Elle ne s'était pas rendue à l'enterrement de Mathieu. Elle s'était contentée d'envoyer des fleurs, par un geste conventionnel. Mais, en cet instant, elle rendait, d'une autre façon, son hommage personnel à sa mémoire. Ses fautes pouvaient mourir avec lui.

Hester retourna à son fauteuil, se rassit, et s'abîma à nouveau dans ses réflexions.

CHAPITRE XII

— Laissez-moi donc tranquille, ne cessait de répéter Lydia aux siens.

Et, comme ils la comprenaient très bien, ils la laissaient tranquille, comme elle le demandait.

Elle était seule chez elle quand Charlie Coram téléphona enfin.

« — Qui est-ce ? » demanda-t-elle.

« — Coram, madame Woodley. Je... je... Vous savez bien. A l'hôpital ? Vous êtes venue me voir... »

« — Ah, oui... »

Elle dut faire un effort pour fixer son esprit sur ce souvenir flou, comme tout ce qui n'était plus, désormais, son unique obsession.

« — Que voulez-vous ? » demanda-t-elle.

« — Rien, madame Woodley. C'était simplement pour vous dire... enfin... je suis désolé, pour Mathieu. Voyez-vous, il n'y a jamais rien eu de personnel, entre lui et moi... C'était simplement, une question d'affaire, si vous voyez ce que je veux dire. Ce qu'il m'a fait... Eh bien, c'était en quelque sorte un risque du métier. J'aurais dû me méfier ; c'était un coup classique... Tout ce que je voulais, c'était tirer de lui tout ce que je pouvais. C'est fini pour lui maintenant. Alors, c'est fini pour moi aussi. C'est comme si j'avais oublié que j'ai jamais connu Mathieu. Et je ne vous connais plus non plus, ni vous, ni personne de votre famille. »

Lydia fronçait les sourcils, essayant de comprendre. Mais les paroles de Charlie la touchèrent parce que, dans leur maladresse, elle reconnut qu'elles émanaient d'un esprit somme toute assez chevaleresque.

« — Je vois, dit-elle. Merci. »

« — Voilà, c'est tout, madame Woodley. Alors... »

« — Attendez un peu ! »

On n'assume pas des responsabilités pendant une vie entière sans qu'il vous en reste quelque chose.

« — Comment allez-vous ? » demanda-t-elle.

« — Oh, ça va. Ils s'occupent très bien de moi, ici, répondit Charlie, sur un ton presque jovial. Ils me font des choses électriques. Ils ont même une espèce de piscine avec l'eau chaude dans laquelle ils me plongent deux fois par jour. Ils est question qu'ils me renvoient bientôt. Madame Taylor m'a promis que je pourrais aller m'installer chez elle. Il faudra que je revienne ici trois fois par semaine pour le traitement. Je ne sais pas trop comment madame Taylor se débrouillera. Mais, vous savez, c'est une femme merveilleuse. »

« — Je suis certaine qu'elle saura se débrouiller, comme vous dites, et qu'elle ne vous abandonnera pas, dit Lydia. Ecoutez, monsieur Coram, je trouve

que, dans l'ensemble, vous vous conduisez avec pas
mal de générosité. Puis-je vous demander d'être encore plus généreux et d'oublier toutes les choses mé-
chantes que je vous ai dites ? »

« — Je ne sais pas de quoi vous parlez, mon
petit, répliqua-t-il. Vous et moi, on s'est jamais rencontré, que je sache. »

« — Dans ce cas-là, monsieur Coram, je voudrais vous dire que, dans mon entreprise, on peut
toujours trouver un emploi qui conviendrait à un
homme qui... enfin, qui a certaines infirmités. »

« — C'est pas pour cela que je vous téléphonais,
dit vivement Charlie. Je pensais bien vous l'avoir fait
comprendre. Mais je vois ce que vous voulez dire.
Je ne pense pas que je profite de votre offre, mais
enfin je me rappellerai toujours que vous me l'avez
faite. Eh bien, je crois que c'est tout pour le moment.
Au revoir. Et bon courage ! »

Courage... Elle en avait eu beaucoup, mais il
l'abandonnait, maintenant. Elle pressa ses deux
mains contre ses tempes battantes, tout en se disant
qu'elle ferait mieux de se remettre au travail. Mais
elle ne put s'y résoudre.

Elle monta se coucher et recourut à un somnifère pour oublier sa peine, momentanément. Comme
elle regrettait, maintenant, le temps où elle pouvait
encore se faire du souci pour l'avenir de Mathieu !

*
**

Après ce moment exceptionnel de défoulement
où, sous l'empire d'une émotion particulière, Jill
avait révélé le fond de son cœur, la jeune fille ne

parla plus de ses sentiments personnels. Elle allait
et venait, vaquant à ses occupation habituelles, parlant de tout et de rien avec cette affection désinvolte
qui avait toujours été pour elle une sorte de défense.
Une porte s'était refermée entre Hester et sa nièce,
et Hester restait dehors.

Mais d'autres portes semblaient s'ouvrir en elle,
et lui laissaient entrevoir une personnalité qui ne lui
plaisait pas particulièrement. Elle ne prit aucune initiative pour annuler les projets de mariage ; il lui
aurait pourtant suffi d'écrire quelques lettres, de
passer quelques coups de téléphone.

Obéissant à une impulsion soudaine, sans se laisser le temps d'y réfléchir, elle alla voir Lydia, sous
prétexte de lui présenter ses condoléances. C'était là
une de ces tâches dont Hester savait s'acquitter à la
perfection.

Mais les premiers mots qu'elle avait préparés
s'enfuirent de sa mémoire quand Lydia lui ouvrit
et qu'elle se trouva en face de ces yeux, plus creux
que d'habitude mais qui n'avaient rien perdu de leur
expression de défi opiniâtre.

— Madame... chère madame Woodley, balbutia
Hester, je... je suis venue... je suis venue...

Lydia approuva de la tête.

— Bien aimable à vous. Entrez donc.

Hester entra et s'assit dans le fauteuil que Lydia
lui indiquait. Mais elle ne sut plus comment continuer.

— Vous êtes venue me dire que vous êtes
désolée pour Mathieu, je pense, dit Lydia, qui s'était
assise en face d'elle et qui serrait les poings. Merci.
Tout le monde a été très gentil.

C'était Lydia qui prenait la direction de la conversation. Hester cilla, réussit à regarder Lydia en face, et, brusquement, dit quelque chose qui n'était pas conforme à ce que dictait son code de bonnes manières.

— C'est vrai, madame Woodley. Vous avez perdu un fils. Mais, sans Mathieu, votre petit-fils ne serait peut-être plus vivant à l'heure actuelle, n'est-ce pas ?

— Oui, c'est ainsi, n'est-ce pas, dit Lydia. Une vie pour une vie. Il...

Elle s'interrompit brusquement. Ces mots qu'elle venait de prononcer, c'était comme si quelqu'un d'autre les avait dits. Et c'était vrai : quelqu'un d'autre les lui avait dits, autrefois. C'était cette menace qui avait déclenché toutes ses initiatives pour mettre sa famille à l'abri, mais qui n'avait cessé de la hanter, et qui lui avait valu de longs cauchemars.

Son regard restait fixé sur Hester, mais elle ne la voyait plus. Ses yeux portaient beaucoup plus loin. « Une vie pour une vie. » Les mots retentissaient en elle, comme un refrain obsédant. C'était vrai. Son fils, ce pauvre garçon dévoyé... c'était lui qui était à l'origine de ses cauchemars, et c'était lui qui avait marqué le point final.

Peut-être même n'avait-elle plus rien à craindre, après tout.

Hester, décontenancée par le silence de Lydia et par l'étrangeté de son regard, esquissa un mouvement pour se lever.

— Je ne crois pas, balbutia-t-elle... Je... Peut-être aurais-je mieux fait de ne pas venir, madame Woodley. Je voulais seulement...

— Restez ! dit Lydia, d'une voix qui avait retrouvé un peu de ce ton autoritaire qu'elle avait autrefois. Il faut que vous preniez une tasse de thé. Et quelques biscuits.

Mais elle ne fit aucun mouvement pour aller chercher le thé et les gâteaux.

— Pour Mathieu..., reprit-elle, vous le trouviez charmant, n'est-ce pas ? Tout le monde le trouvait charmant. Et il l'était. Quand je dis tout le monde, je ferais mieux de dire presque tout le monde. Seulement, il n'était pas tout à fait ce qu'il paraissait être. Voyez-vous, sa personnalité avait un autre aspect, et...

Une terrible peur s'empara d'Hester. Lydia allait-elle lui confier ce secret qu'elle avait caché avec tant de peine ? Cela, Hester ne le souhaitait plus. Tout ce qu'elle désirait, c'était sauvegarder cette dignité rare et terrible qui émanait de cette femme.

— Chère madame Woodley, coupa-t-elle, chère Lydia, n'est-ce pas un peu le cas de tout le monde ? Notre personnalité, à chacun de nous, a bien des aspects différents. Ne nous rappelons que les meilleurs côtés de ceux que nous avons aimés. Mathieu était très charmant, très beau, si vous me permettez de le dire : il avait d'excellentes manières...

Elle se retrouvait sur un terrain qui lui était plus familier et elle n'eut aucun mal à trouver les mots d'une sympathie, facile sans doute, mais qui aidait tout de même à apaiser certaines douleurs. Les yeux de Lydia marquèrent soudain une certaine

hésitation, perdirent leur dureté. Des larmes montèrent.

— Oh, c'est vrai, il était beau. Tous mes enfants le sont, on ne peut pas dire le contraire. C'est
drôle ; je n'ai jamais bien compris comment cela se
fait. Je n'ai jamais été belle, ni dans ma jeunesse,
ni maintenant. Et pourtant je ne sais pas pourquoi
j'ai eu quatre enfants si beaux. John, mon mari
n'avait pas non plus beaucoup de prestance. Et
voyez-les pourtant, tous les quatre...

— Peut-être ne sont-ils si beaux que parce que
vous les avez beaucoup aimés, risqua Hester.

— C'est vrai, nous les avons beaucoup aimés.
Pas parce qu'ils étaient beaux, mais parce qu'ils
étaient nos enfants. Mais qu'est-ce que je disais
donc ? Ah oui, Mathieu... Je sais que je ne devrais
pas dire cela, mais c'était le plus beau des quatre.
Nous ne l'avons pas gâté davantage, pourtant. Nous
ne les avons gâtés ni les uns ni les autres. C'est pour
cela que je ne comprends pas...

— Ils sont certainement tous beaux, coupa vivement Hester, arrêtant à nouveau Lydia sur la pente
dangereuse.

— Oui. Je le trouve aussi, bien que je ne leur
dise jamais.

— Terry ressemble beaucoup à Mathieu, Lydia.

— Oui. Vous savez, j'aimerais vous montrer
quelque chose.

Lydia se leva, alla à un placard et revint tenant
un paquet enveloppé de plusieurs épaisseurs de
papier. Elle mit le paquet dans les mains d'Hester.

— Regardez cela, dit-elle. J'ai mis de l'ordre
dans sa chambre, dans ses affaires. Je ne voulais

pas que quelqu'un d'autre y touche. Allez-y, ouvrez-
le. Regardez.

Hester développa le paquet et trouva un coffret
à cigarettes en argenterie. Le travail en était magnifique.

— C'est de l'argent massif, dit Lydia. C'était
son cadeau pour le mariage de Terry et de Jill. J'étais
avec lui quand il l'a acheté, à Chester. Nous étions
tous les deux, rien que nous deux. Nous y étions
allés pour la journée...

Elle ferma les yeux. Ce souvenir lui en rappelait
d'autres, plus sinistres.

Hester regardait la boîte et sentait sa gorge se
serrer. Elle la retourna dans ses mains.

— Elle est très jolie, dit-elle. Et l'inscription
aussi est très belle.

Le visage de Lydia changea.

— Une inscription ? Je ne savais pas qu'il y en
avait une. Faites voir...

Elle prit la boîte, la retourna, vit la gravure,
elle aussi : « *Pour Terry et Jill, de la part de Mathieu.
Puisse ce jour, le plus heureux de votre vie, ne vous
paraître jamais finir !* »

— Je n'avais pas vu cela, murmura Lydia. Il
ne me l'avait pas dit. Il est passé dans le bureau
attenant au magasin, pour payer. Il est revenu sans
la boîte. Il m'a dit qu'il ne voulait pas s'en encombrer
pendant notre promenade, qu'il la reprendrait au
retour. Nous allions déjeuner, vous comprenez. Il...
il ne m'avait rien dit.

— Il voulait sans doute faire une surprise à
Terry et à Jill, dit Hester, qui réenveloppait soi-
gneusement la boîte. Je suis certaine qu'il attendait

leur mariage avec impatience... Pourquoi l'avez-vous
interdit, Lydia ?

Lydia la regarda, surprise.

— Interdit ? Le mariage ? Moi ? Je n'ai rien
interdit. Je leur ai simplement dit qu'ils pouvaient
faire ce qui leur plaisait. Seulement, je ne crois pas
que je pourrais, moi...

— Allons, Lydia, réfléchissez ! Imaginez-vous
un mariage auquel la mère du marié n'assisterait
pas ? La mère du marié est tout de même un des
personnages les plus importants, dans une cérémonie
de ce genre. Oui, je sais ; c'est bien tôt, peut-être
trop tôt, après un tel deuil. Mais, après tout, tous
ces interdits ne sont que des conventions, n'est-ce
pas ? Je vous le demande, qu'aurait désiré Mathieu ?
Je suis certaine qu'il aurait voulu que vous fassiez
tout exactement comme si... comme s'il était toujours
là. Oui, ç'aurait été le désir profond de Mathieu.

Lydia la regardait fixement, sans réagir, appa-
remment. En fait, les propos d'Hester, malgré leur
apparence banale, avaient touché en Lydia une
corde beaucoup plus sensible qu'Hester elle-même
n'aurait pu le croire : Mathieu l'aurait voulu...

— Lydia, dit Hester en se levant, vous m'avez
proposé une tasse de thé. Voulez-vous que nous
allions la préparer ensemble ?

« *Puisse ce jour, le plus heureux de votre vie,
ne vous paraître jamais finir !* »

Lydia ne sut jamais si ce fut cette phrase que
Mathieu avait fait graver dans l'argent ou si ce fut

l'habileté d'Hester qui opéra le miracle. En tout cas, elle échappa enfin à sa prostration et fit savoir, d'un ton impératif qui rappelait faiblement son autorité passée, que le mariage aurait lieu comme prévu.

Lydia remit de ses propres mains le splendide cadeau de Mathieu à Terry et à Jill. Elle s'abandonna elle-même aux mains de ses filles, à qui elle demanda de la rendre « présentable » pour le mariage.

— C'est ce que Mathieu aurait voulu, déclarat-elle.

Rose et Sylvia s'occupèrent donc d'elle, n'épargnant pas leurs efforts, et obtenant des résultats. Pour commencer, elles l'obligèrent à prendre un repos dont elle avait grand besoin. A force de cajoleries, de caresses, de remontrances, elles parvinrent à faire disparaître un peu de cette tension qui marquait durement le visage de leur mère. Elles firent venir à domicile une coiffeuse qui fit des merveilles sur la chevelure de Lydia. Elles se plaisaient à dorloter ainsi la pauvre femme, qui n'avait jamais connu pareilles attentions de sa vie. Quand tout fut terminé, Lydia se sentit reposée. Toute la famille en convînt : elle était maintenant parfaitement « présentable ».

Elle était presque élégante, même, quand elle prit place au premier rang de la nef de la vieille église de Sainte Margaret, flanquée de ses deux beaux-fils, entourée de ses quatre petits-enfants.

Le mariage avait fait une petite entorse à la tradition : les hommes portaient des cravates noires, à commencer par le marié et son garçon d'honneur, un ami qui avait pris au dernier moment la place de Mathieu. La mariée elle-même, adorable dans ses dentelles, portait un petit bouquet de roses maintenues par un ruban noir et argent.

La tante de la mariée, son unique parente, assise seule sur son banc, charmante et très distinguée dans sa robe lilas, s'était mise à l'unisson : son petit sac était noir.

Ces rappels discrets mettaient une note poignante qui n'enlevait rien au charme et à la solennité de ce mariage.

Hester Pagett, seule à son banc, regardait du coin de l'œil Lydia Woodley, entourée de sa famille, majestueuse par la taille et par la dignité. On aurait presque dit la figure de proue d'un navire viking, songea-t-elle et elle se sentit brusquement, bien solitaire. La pauvre Hester était confrontée à l'amertume de cette dernière révélation : elle enviait Lydia Woodley.

Elle entendit un froissement de jupes. Une femme était venue s'asseoir à côté d'elle.

— Vous savez, Hester, je ne voulais pas venir. Et puis, à la réflexion... Enfin, je suis venue.

Muriel Wendell glissa sa main dans celle de sa vieille amie.

— Dans un moment pareil, on oublie bien des choses.

Hester sourit et serra la main de Muriel.

L'orgue attaqua une marche solennelle. L'assistance se leva, dans un brouhaha impatient. Chacun se retourna pour voir Jill entrer dans l'église au bras d'un vieil ami de sa tante.

Lydia Woodley, qui, à force d'énergie, avait arraché les siens à des ombres menaçantes, regardait son cadet, Terry épouser Jill Pagett, dont la jeune

existence ne connaissait que les jours heureux promis aux membres d'une famille de bonne réputation.
Ils feraient un bon ménage, se dit Lydia. Ils poursui-
vraient et embelliraient l'œuvre qu'elle avait elle-
même réalisée de toutes pièces, dans un climat de
désespoir et de souffrance.

Et, en cet instant solennel, enfin, le calme et la
paix descendirent en elle.

Après la sortie de la cérémonie, elle parcourut,
souriante, les groupes qui attendaient, nombreux.
Elle posa pour les photographes. Elle bavarda avec
Hester, qui ne quittait pas le bras d'une dame âgée
distinguée qu'elle présenta sous le nom de Muriel,
une dame qui la regardait bien en face, d'un air
amical, et qui lui dit qu'elle avait rarement vu un
aussi beau jeune marié.

— Vous devez être très fière de vos enfants,
madame Woodley, conclut Muriel Wendell.

— Je le suis, en effet, répondit Lydia.

Elle descendit l'allée du vieux cimetière qui entourait l'église et franchit le portail, se dirigeant vers
la voiture qui l'attendait. Elle se trouva brusquement
face à face avec un homme assis dans un fauteuil
roulant parmi les badauds. Son cœur battit plus vite,
un instant.

Mais Charlie Coram tint parole. Leurs yeux se
rencontrèrent une seconde, mais il ne laissa pas voir
qu'il la connaissait. Ils étaient comme deux étrangers.

— Eh bien, voilà, c'est terminé, Charlie, dit
Mme Taylor, qui se tenait derrière le fauteuil. Oh,
j'adore les beaux mariages ! Ça me réchauffe le
cœur de voir un charmant couple comme celui-là.
Ça me donne l'impression qu'on n'est pas si mal

que ça dans notre pauvre monde, après tout. A mon avis, ils ont bien fait de ne pas reculer le mariage. Vous ne trouvez pas, Charlie ?

— Oui, ils ont bien fait, dit Charlie, lentement.

— Il faut du cran pour célébrer un mariage juste après un deuil. Vous ne trouvez pas, Charlie ? Vous devez avoir faim, maintenant ? Le ragoût sera juste prêt quand nous rentrerons à la maison.

Elle fit tourner le fauteuil roulant et se mit en route en direction de sa maison. Tout en marchant, elle bavardait gentiment, racontant des riens. Charlie pensait au bon ragoût qui l'attendait, et à rien d'autre.

FIN

Achevé d'imprimer
le 13 juillet 1977
sur les presses
de l'imprimerie Cino del Duca,
18, rue de Folin, à Biarritz.
N° 385.

Dépôt légal n° 372.   3° trimestre 1977.